DU MÊME AUTEUR

Aux Éditions Gallimard

LA VOIX D'ALTO, 2001 (Folio n° 3905).

LE RENARD DANS LE NOM, 2003 (Folio n° 4114).

MA VIE PARMI LES OMBRES, 2003 (Folio n° 4225).

MUSIQUE SECRÈTE, 2004.

HARCÈLEMENT LITTÉRAIRE, entretiens avec Delphine Descaves et Thierry Cecille, 2005.

LE GOÛT DES FEMMES LAIDES, 2005 (Folio n° 4475).

DÉVORATIONS, 2006 (Folio n° 4700).

L'ART DU BREF, Le Cabinet des lettrés, 2006.

DÉSENCHANTEMENT DE LA LITTÉRATURE, 2007.

PETIT ÉLOGE D'UN SOLITAIRE, 2007 (Folio 2 € n° 4485).

PLACE DES PENSÉES, sur Maurice Blanchot, 2007.

L'OPPROBRE. Essai de démonologie, 2008.

LA CONFESSION NÉGATIVE, 2009 (Folio n° 5150).

BRUMES DE CIMMÉRIE, 2010.

LE SOMMEIL SUR LES CENDRES, 2010.

TARNAC, L'Arpenteur, 2010.

L'ENFER DU ROMAN, 2010.

GESUALDO, Le Manteau d'Arlequin, 2011.

LA FIANCÉE LIBANAISE, 2011.

EESTI, Le sentiment géographique, 2011.

LA VOIX ET L'OMBRE, L'un et l'autre, 2012.

Au Mercure de France

L'ORIENT DÉSERT, coll. « Traits et portraits », 2007 (Folio n° 4973).

Suite des œuvres de Richard Millet en fin de volume

UNE ARTISTE DU SEXE

RICHARD MILLET

UNE ARTISTE
DU SEXE

roman

GALLIMARD

Le roman moderne! Le *grumus merdae* que laissent derrière eux des criminels sur le théâtre de leurs méfaits.

Lawrence DURRELL
Justine

PREMIÈRE PARTIE

PLACE DAUPHINE

> Plus je la regarde, plus je me convaincs
> qu'elle est une figure isolée.
>
> Soeren KIERKEGAARD
> *Journal d'un séducteur*

1

La place Dauphine est un vagin.

Cela, je ne peux le dire qu'en français ; et encore est-ce du français écrit. À voix haute, j'aurais dit : « Ça, je ne peux le dire qu'en français », avec l'air d'un homme vicieux, aurait murmuré ma mère qui ne supporte pas la moindre allusion à la vie sexuelle, surtout depuis que mon père nous a abandonnés et qu'elle prie dans l'ombre une bonne partie de la journée, et sans doute la nuit.

En anglais, ce serait pire : « *The Dauphine square is a vagina.* » Le mot *vagina* a quelque chose de plus répugnant que dans la langue de Proust, où il a été francisé, en quelque sorte adouci, quoique la terminaison en *in* lui garde une rudesse toute masculine, comme le mot ovaire, le mot vulve étant féminin, lui, mais tout aussi laid. Quel homme pourrait aimer le corps féminin à partir du seul nom de ses organes ?

C'est donc en français que je l'écris, cette phrase, comme tout ce qui va suivre. Pourtant, si je suis venu en France, muni d'une bourse de la fondation T. Miller, c'est pour écrire en anglais et honorer les États-Unis d'Amérique, mon pays, non pour me perdre en français, cette langue d'aristocrates déchus, selon mon père qui aurait préféré me voir apprendre l'espagnol, langue de vaincus, elle aussi, mais parlée par quatre cents millions de personnes ; des vaincus contre lesquels nous nous heurtons sans cesse, puisqu'ils se pressent à nos frontières, les débordent, même, alors que les Français somnolent depuis des siècles au Québec, au Nouveau-Brunswick, dans le Vermont, en Louisiane : d'éternels loosers, maugréait-il, ce père qui n'en finit pas de ruminer le cuivre qu'il a respiré à la mine, une grande partie de sa vie, l'autre se passant à regarder la ville depuis la colline où, après son divorce, il s'est installé avec une demi-Sioux, dans un mobil-home, près d'un grand sapin, à la sortie de Butte, Montana — dans le Montana, devrais-je dire, pour ne pas laisser l'anglais ronger mes phrases comme l'acidité de l'eau qui fait de la fosse Berkeley, à Butte, maintenant inondée et empoisonnée comme les eaux de l'Apocalypse, un lac sur lequel, à certaines époques de l'année, on tire des fusées pour empêcher les oiseaux migrateurs de s'y poser.

« L'anglais a cette acidité qui empoisonne les autres langues », a dit Rebecca.

Et elle riait. Elle riait toujours de ses paradoxes et de ses pointes ; et elle en riait seule. J'étais en ce temps-là un personnage trop sérieux, plus soucieux des langues que des êtres humains : une sorte de phasme qui s'adaptait à l'ordre ambiant.

« La place Dauphine est un sexe de femme », ai-je repris en espérant améliorer la qualité de ma première phrase.

Elle me regardait en silence, avec un sourire mat, les yeux et les traits immobiles, comme si elle me contemplait depuis sa part la plus lointaine, celle d'une Maorie de Nouvelle-Zélande, et non de sa moitié danoise, nullement choquée de ce que je venais de dire, ce soir-là, sur le Pont-Neuf, devant la statue équestre d'Henri IV qu'elle me faisait admirer parce qu'elle avait de la sympathie pour ce roi assassiné, grand amateur de femmes, donc grand politique, précisait-elle avec une gravité qui m'a conduit à rappeler que le bon roi Henri empestait l'ail, avais-je lu quelque part, la puanteur de l'ail me paraissant une insulte à la beauté des femmes, ai-je ajouté avant de dire que, si j'aimais le Pont-Neuf et cette pointe verdoyante de l'île de la Cité qu'on appelle le Vert-Galant, c'était parce qu'on s'y trouve au centre de la capitale française, d'où on aperçoit quelques-uns des beaux bâtiments de la ville : le Louvre, le Panthéon, l'Institut de France, la Samaritaine, Saint-Germain-l'Auxerrois, la tour Saint-Jacques, les immeubles qui s'élèvent sur les quais de la rive gauche, et cette place Dauphine dont le nom me faisait rêver, à Butte, moi dont l'enfance fut livrée à une géométrie urbaine dépourvue de vrai centre, à cause de la disposition perpendiculaire des rues, comme dans tant de villes américaines, au moins les rues principales, le reste allant vite au désordre, dans ce qui n'est ni une banlieue ni la campagne mais un espace où la nature n'a jamais cessé d'être présente, sinon menaçante, parmi les tours d'extraction hérissant la colline sur laquelle la ville a été bâtie : des territoires que les citadins disputent au vide, à l'ennui, quelquefois aux coyotes ou aux loups, et où il fait toujours froid, à cause du vent du nord qui, volant les mots à la bouche, empêche les gens de se parler — ce que ma mère ne voyait pas d'un mauvais œil, elle qui considère que la parole est la source de nos peines, avec le sexe qui jette les cœurs dans un froid plus intense et interminable que celui de l'hiver. Et il faisait particulièrement froid quand j'avais six ans et que mon père est parti pour aller vivre dans un mobil-home avec sa demi-Sioux, et que sa voix s'est perdue. J'imaginais qu'elle avait été jetée dans Orphan Girl, un puits de mine à l'écart des autres. Ma voix à moi, je l'ai entourée de ces linges doux et terribles que sont les psaumes de David, dont j'ai lu quelques-uns en silence, puis je l'ai brûlée, chez nous, dans le poêle à bois, demeurant presque une semaine sans ouvrir la bouche, tandis que ma mère priait à mi-voix, presque en chantant, ce que j'aimais mieux que ses récriminations qui s'élevaient comme des freux, disais-je à Rebecca, sur le Pont-Neuf, sachant que mon enfance ne l'intéressait pas plus que la sienne, et qu'elle devait ignorer ce qu'est un corbeau freux, mais le mot est plus beau en français que l'anglais *rook*. L'enfance des autres n'intéresse personne, en Amérique. C'est que nous ne cessons jamais d'être des enfants, de cruels, de grands enfants, disent les Français. Des enfants insupportables à presque tout le monde. Les enfants sont d'ailleurs devenus insupportables dans l'Occident tout entier, murmurerait Rebecca, qui ajouterait que l'enfance a causé la perte de la littérature, après Proust — et même dès Rousseau.

Mais, non, Rebecca, la littérature n'est pas tout à fait morte. Comme l'amour, elle nous quitte si nous n'en sommes plus dignes. Vous écrivez. Moi aussi. J'écris pour grandir, pour sortir d'Orphan Girl et devenir un adulte. J'écris en français pour être plus nu et plus innocent qu'en anglais, et sans doute expier ce dont je ne suis pas coupable mais dans quoi mon père m'a fait choir, la faute des pères retombant toujours sur les fils, selon ma mère, à laquelle je ne donne pas tort, pour une fois. La langue est un corps inaccessible que nous passons notre vie à vouloir coucher dans le lit de notre enfance, m'a dit Pascal Bugeaud, un des rares écrivains français vivants que je connaisse, le seul qui m'ait prêté de l'attention. Mon enfance est morte avec mon père, c'est-à-dire très tôt, ai-je envie de dire en une phrase qui, je m'en aperçois, est assez ambiguë pour signifier que mon père est mort, alors qu'il est encore en vie avec sa squaw aux gros seins, et que c'est ma mère qui est pour ainsi dire morte, vieillie avant l'âge, le cœur et le corps plus vides qu'une cheminée froide à cause du cancer de l'utérus sur lequel elle a remporté une victoire qui a fini de jeter mon père dans la fureur puis dans l'accablement, surtout quand sa demi-Sioux a mis au monde, à peu près dans le même temps, un enfant mort-né, un fruit pourri, comme disait ma mère pour me signifier qu'on ne refait pas sa vie, qu'on n'a jamais de seconde chance, surtout dans cette ville quasi fantôme qu'est devenue Butte, depuis que les mines ont fermé et qu'on savait qu'il en était de même à Great Falls, où est née ma mère, mon père, lui, venant d'Anaconda, deux villes voisines de Butte, l'un et l'autre marqués par le nom de leur ville natale, me dirait Bugeaud, ma mère vouée à une chute sans fin dans un malheur dont on se demande

17

si elle ne l'a pas en grande partie créé, tandis que mon père mourrait en m'étouffant dans ses anneaux mythologiques, si tant est qu'un fils ne soit pas lui aussi une espèce de monstre.

C'était donc à l'utérus désormais absent de ma mère que je pensais, à l'entrée de la place Dauphine, sur le Pont-Neuf où Rebecca me disait qu'il avait servi de décor à un film maudit, *Les Amants du Pont-Neuf,* dont elle me prêterait le DVD mais que je n'aimerais pas, malgré la beauté si française de l'actrice principale, Juliette Binoche, détestant tout ce qui a trait à l'alcoolisme, à la drogue, aux clochards, à la déchéance, aux unions contre nature, en un mot à mon père, ce qui me faisait m'avouer que j'étais venu en France pour fuir mes parents, leurs ventres froids et leurs enfants morts, moi-même mort et froid, en quelque sorte, ai-je dit à Rebecca, vers six heures du soir ; une heure qui deviendrait la nôtre, puisqu'il faut bien établir des rites, des habitudes, des remparts contre le désordre d'existences qui se passent à tenter d'oublier l'enfance, l'adolescence, les incertitudes et les maladies qu'y sèment les adultes. Et l'enfance de Rebecca ne valait pas mieux que la mienne, me ferait-elle comprendre peu à peu, en m'expliquant qu'elle avait choisi les vertiges maîtrisés de l'astrophysique pour échapper à l'abîme qui s'ouvrait en elle, dès qu'elle parlait de son passé, tout comme j'avais opté pour la rigueur des langues, notamment la française, où j'écris ce que je ne pourrais dire en anglais.

Écrire en français ne fait d'ailleurs pas de moi un auteur français, encore moins un écrivain. Je suis venu en France, je le comprends maintenant, pour me défaire de certaines choses, à commencer par l'anglais d'Amérique. Non que je déteste ma langue maternelle : on ne se refait pas dans une autre langue ; on s'y éloigne de soi plus vite que dans sa langue natale ; on y devient une sorte de mort-vivant ; on se met à ressembler aux nuages ou aux oiseaux qui passent dans le ciel de Butte ; et puis on revient à l'origine, le lointain se révélant le proche, et la langue l'impossible distance entre soi et l'autre qu'on rêvait d'être ; si bien qu'écrire c'est apprendre à mourir au cœur de cette illusion qu'est la vie, me feraient peu à peu comprendre Bugeaud et, malgré elle, Rebecca. Mon besoin de m'examiner d'un point de vue extérieur était cependant sincère, et la langue française, telle que je la pratiquais à Paris, le lieu idéal. Je ne suis sans doute pas encore un écrivain. En vérité je ne suis rien. À vingt-cinq ans, je n'ai publié qu'une demi-douzaine de nouvelles dans des revues sans importance nationale. Je ne sors d'aucun cours de *creative writing* : je me fais tout seul, sans pouvoir m'appuyer, comme le font les Français, les Anglais, les Allemands, sur un millénaire de tradition littéraire. Je ne saurais puiser, comme Balzac, dans le grand mystère de Paris : Butte n'est qu'une colline éventrée. Je voudrais cependant extraire de ma langue le cuivre, le zinc et le cadmium qui ont ruiné la santé de mon père et, d'une certaine façon, entraîné la maladie de ma mère. Bugeaud soutient qu'écrire est aujourd'hui une maladie de l'âme. C'est là un propos d'homme impie, ou revenu de tout, ou qui se moque de moi, comme quand il me dit que mon prénom, Sebastian, me prédispose à des récits plus

raffinés, en hommage à ce saint vénéré par les homosexuels, comme Mishima, ou bien au Sebastian Knight
de Nabokov, écrivain qu'il admire plus qu'il ne l'aime.

« Vous pensez que je suis un homosexuel ? lui ai-je
lancé.

— Mais non ! Je cherche simplement les harmoniques des noms propres et tout ce qu'il peut y avoir de
destinal en eux... »

Et il riait comme s'il était seul — et sans doute l'était-il
à un point que je ne pouvais imaginer : dans le mouvement de rupture par lequel un écrivain doit renoncer à
ce qu'il est pour rester fidèle à lui-même.

« Vous écrivez, vous aussi ? m'a demandé Rebecca.

— J'écris adossé aux montagnes Rocheuses, dans une
ville à demi morte, parmi des gens pour qui la littérature
est une occupation d'homosexuel ou de New-Yorkais
dégénéré. J'ai donc écrit sur la dégénérescence et sur le
vide qui m'entoure et qui est aussi dans mon sang,
puisque fils de divorcés et que j'ignore presque tout de
mes ancêtres, sauf qu'ils venaient d'Irlande pour ma
mère et, pour la lignée paternelle, de Norvège et des
Hébrides, de quoi ni l'un ni l'autre ne se souciaient,
d'ailleurs, le passé étant pour eux lettre morte et l'Europe un continent d'outre-tombe, le passé de mes
parents ne m'ayant en outre jamais intéressé et cette
ignorance étant une condition pour que je vive », ai-je
dit à Rebecca qui m'a répondu qu'elle vivait, elle,
adossée non pas au Danemark ni au pays du long nuage
blanc, la Nouvelle-Zélande, mais à des trous noirs ; et
non pas à ceux qui faisaient l'objet de la thèse qu'elle

était venue préparer en France, mais à ses abîmes intérieurs qu'elle tentait de scruter en écrivant dans la langue de Pierre Jean Jouve, elle aussi, alors qu'elle aurait pu le faire en danois ou en anglais puisque, née au Danemark et élevée dans le danois de son père, elle parlait également l'anglais de sa mère, une Néo-Zélandaise d'origine maorie, disait-elle avec une sorte d'effroi qui lui faisait plisser le front, lui donnant une expression de laideur que j'avais rarement vue chez une jolie femme et qui m'empêchait de mêler mon rire à celui, saccadé, douloureux, étouffé, qui était le sien, en ces moments, sa voix soudain plus rauque, plus haute, aussi, presque métallique, comme criblée de gravier stellaire, lui dirais-je, un jour, non sans niaiserie, Rebecca ne relevant pas ce que je venais de dire et me regardant gravement, comme si je me moquais d'elle, puis, rassurée, se mettant à rire en danois, comme elle disait, c'est-à-dire avec une contrainte luthérienne, au lieu de rire dans l'anglais de Wellington, donc plus ouvertement, ajoutait-elle, la langue anglaise étant néanmoins celle qu'on parlait dans sa famille, à Aalborg, dans le Jutland, aucun de ses parents ne parlant le français, ceux-ci bientôt séparés, d'ailleurs, ce qui faisait d'elle comme de moi et de tant d'autres des enfants de divorcés, c'est-à-dire des êtres destinés à souffrir non plus des guerres du xxe siècle mais de celle des sexes, et peut-être des minorités ethniques, dans les ruines de la famille, au cœur du grand ennui européen, Paris lui paraissant un des rares endroits au monde où échapper à ces déterminismes comme à cette fatalité.

2

Rebecca avait été élevée par son père, et elle se considérait comme une Européenne, malgré des traits majoritairement asiatiques, un visage plutôt large mais non plat, des cheveux très bruns mais bouclés, une taille moyenne, presque courtaude, comme tant d'Asiatiques, mais sans ces jambes tortes des Japonaises qui, malgré l'éloge qu'en a fait Mishima, nous rendent la beauté japonaise aussi incompréhensible que les dents passées au noir des anciennes patriciennes nippones ou la poudre recouvrant tout leur visage et leur cou, à l'exception d'une raie au bas de la nuque et qui laissait voir la chair plus nue que les lèvres d'un sexe, Rebecca n'ayant en fin de compte rien de typiquement danois et s'interrogeant (et moi avec elle) sur l'occultation de cette part d'elle-même — sa disparition, même, qui faisait d'elle une fausse métisse, disait-elle. Et elle riait un peu plus fort que d'habitude, avant de me serrer le bras comme si elle avait trébuché et qu'elle se rattrapait à moi, l'amour faisant toujours plus ou moins trébucher en ses commencements, croyais-je savoir, moi qui n'avais jamais été amoureux au point d'éprouver ce vertige, du moins cette titubation.

« Vous êtes devant la statue d'un grand roi, face à une place royale », a-t-elle dit, tout à la fois solennelle et embarrassée (j'aurais aimé dire rougissante, mais c'est une femme que je n'ai jamais vue rougir), bientôt tournée vers ce que j'avais désigné comme un vagin mais qui pouvait aussi bien avoir la forme d'une vésicule biliaire, a-t-elle ajouté après un de ces instants de silence pendant lesquels sa bouche s'emplissait de nuit, pensais-je en une formule dont je n'ignore pas la préciosité, m'émerveillant de voir comment la langue française, écrite, reste une langue royale. Je suis l'hôte de cette langue, moi, l'Américain, né dans une langue terriblement démocratique, si populiste, souvent, qu'elle semble s'oublier elle-même ; et je tends naturellement à la respecter, cette langue française, dans ce qu'elle a de beau, c'est-à-dire de précis et de souple, non d'aristocratique ou de démocratique, encore moins de vulgaire, bien sûr, comme tant d'écrivains contemporains, y compris les Français, peuple vaincu par lui-même plus que par d'autres peuples, et qui ne rêve plus que d'écrire en anglais avec des tournures et une hauteur toutes françaises, comme leur politesse, laquelle est uniquement langagière, presque déplacée car souvent hypocrite, comme tout ce qu'on dit sans y croire... Je ne crois pas qu'on doive écrire comme on parle, encore moins comme on croit qu'on doit parler. Je veux dire des choses que je ne pourrais énoncer en anglais, notamment que la place Dauphine est un vagin — phrase que j'avais proférée en imaginant la forme, sinon le goût du sexe de Rebecca, sous la statue d'Henri IV, me rêvant non pas en glorieux cavalier mais en écrivain reconnu, ignorant encore que cette gloire-là, modeste et probe, n'attire aujourd'hui pas plus les femmes que le talent, que seule compte la soumission que nous témoignons à l'ordre social, c'est-à-dire à la réussite et au consensus, ces ennemis de la gloire, disait Bugeaud.

Ce qui me faisait penser que la bouche de Rebecca était souvent pleine de nuit, c'était non seulement la capacité de cette très jeune femme à se taire mais aussi le fait que nous ne nous étions jusque-là vus qu'à la nuit tombée, Rebecca s'arrangeant toujours pour échapper au jour et me donner rendez-vous dans des endroits sombres, passages de la rive droite, obscures galeries d'art, bouquineries ténébreuses, cafés ou restaurants glauques — épithète qu'elle prononçait avec une certaine délectation —, redoutant la lumière jusque dans sa chambre, laquelle était toujours plongée dans une pénombre qu'elle trouait de temps à autre en allumant ce qui était plus un violent spot qu'une lampe, comme pour se rappeler à l'ordre, c'est-à-dire au jour, murmurait-elle, place Dauphine, sans s'expliquer sur sa peur de la lumière, elle qui travaillait pourtant sur la vitesse de ladite lumière et interrogeait les confins de l'univers.

Rebecca était un être de la nuit et, plus qu'à la nuit de Paris, elle semblait appartenir à la grande nuit humaine, celle des enfants brisés et des impossibles amoureuses, des êtres sacrifiés et des quasi-autistes ; et, davantage, on pouvait dire qu'elle appartenait à l'antimatière, à la théorie des cordes et de l'univers chiffonné, toutes choses dont elle parlait rarement, arguant qu'il y a de brillants vulgarisateurs pour cela, et à propos de quoi je ne la questionnais guère, craignant peut-être que l'étrangeté de la jeune femme ne trouve dans l'évocation des espaces infinis un prolongement vertigineux et angoissant qui l'éloignerait de moi pour errer jusqu'aux confins de l'espace mental, et moi avec elle, aurais-je pu lui dire si j'avais osé lui parler ainsi, du moins au début, à l'époque où elle se taisait plus qu'elle ne parlait, comme le jour où j'avais fait sa connaissance, rue Corneille, un après-midi d'octobre, deux ans auparavant, dans les bureaux d'une petite maison d'édition dont le directeur mettait à ma disposition, l'après-midi, une pièce (un réduit), afin que je relise la traduction de romans féminins anglais, qu'il appelait ses vieilles Anglaises et qu'il publiait pour subventionner des livres français plus ambitieux.

C'était lui qui m'avait donné à lire un bref récit, rédigé en français par une inconnue qui ne se présentait pas autrement, dans la lettre accompagnant le manuscrit, que par le souci d'en finir avec ses terreurs enfantines. La langue française, qui n'était pas sa langue natale, précisait-elle, lui paraissait le lieu idéal de leur extinction ou de leur pacification. L'éditeur ayant jugé que j'étais à même de comprendre ces terreurs qui, a priori, ne l'intéressaient guère, car relevant probablement de la névrose féminine, j'avais reçu Rebecca, m'attendant à trouver une Danoise, à cause de son patronyme, Mortensen, et découvrant une Asiatique qui n'avait pas voulu quitter le duffle-coat bleu marine ni l'écharpe dans laquelle elle se sanglait le cou et, sem-blait-il, la voix, car elle s'était tue pendant à peu près une heure, la tête baissée, un pauvre sourire aux lèvres, et ne levait les yeux vers moi que pour chercher dans les miens, sans inquiétude ni impatience, la confirmation de l'inanité de ce que, pressée par une amie qui connais-sait un peu le monde de l'édition, elle avait envoyé à l'éditeur.

Rebecca m'étonnait : elle pouvait aussi bien passer pour indifférente (d'une indifférence quasi proche de l'idiotie) que pour une fille capable de se tuer devant moi ; mais je n'osais la voir en meurtrière, quoiqu'il y eût sans doute en elle assez d'angoisse et par moments de panique pour lui faire confondre son propre corps et celui des autres, le sexe étant le lieu où le meurtrier sursoit sans cesse à son crime. J'aurais aimé lui dire que je n'étais rien, sinon une sorte d'employé, un vacataire, un homme en sursis, un fils perdu, et que mon bon accent français ne devait pas la tromper, que j'étais doué pour l'imitation, comme on peut le voir dans le style du présent récit où j'imite plus ou moins volontai-rement celui d'écrivains français, notamment Pascal Bugeaud, faute de posséder mon propre instrument, au contraire d'elle, Rebecca Mortensen, qui avait d'emblée trouvé le sien, simple et distant, minimaliste, presque froid, soit la place idéale dans une langue étrangère où l'on donne à entendre le pire de ce qu'une femme tai-rait dans sa langue maternelle, ou même en anglais, langue de la prostitution au matérialisme international, selon Bugeaud dont les formules excessives me faisaient sourire.

« Oui, un langage qui m'éloigne le plus possible... »,
avait-elle fini par murmurer si bas que c'était presque
un chuchotis et que j'ai dû me pencher vers elle et lui
demander de répéter, ce à quoi elle semblait se refuser
et qui m'aurait fait l'admettre au rang des grandes
névrosées, pour parler comme l'éditeur, malgré le récit
qu'elle avait réussi à écrire et qui, à vingt-deux ou vingt-
trois ans, témoignait d'une étonnante maîtrise de soi.

« Loin de vous-même ?

— On n'est jamais assez loin de soi », a-t-elle dit, avec
dans la voix un tremblement qui semblait la mener au
bord des larmes.

Je lui ai dit que son récit était intéressant, original
même, mais que le français en était par moments maladroit, qu'il faudrait le retravailler.

« Vous le publieriez ? »

Elle parlait sur un ton qu'on pouvait trouver amusé,
quoique douloureux, et s'en remettant à moi comme si
je lui offrais ma main pour qu'elle y repose sa joue.

Je lui ai répondu que la décision de publier appartenait à l'éditeur, non au simple lecteur que j'étais.

« Au moins vous m'avez reçue. »

Elle a fini par lever vers moi un visage dont l'immobi-
lité ne pouvait en aucun cas être attribuée à je ne sais
quelle impassibilité asiatique. C'était son regard qui
frappait, où on ne pouvait se plonger ni même s'arrêter,
parce que fixe et d'un brun semblable à du miel de
sapin, ou à de l'opium, quoique cette comparaison soit
excessive, sans doute suggérée par sa part maorie : elle
ne dit pas l'impression qu'on avait, devant Rebecca,
d'être regardé de plus loin que ne le laisse supposer un

regard, c'est-à-dire un silence d'avant la bataille, si bien que c'était son regard qui avait fini par rencontrer le mien et s'y attarder un peu, la conversation prenant ainsi fin, Rebecca se levant, arrangeant le duffle-coat qu'elle n'avait pas quitté ni même entrouvert et qui la faisait paraître plus jeune encore qu'elle n'était — si jeune, même, que je n'ai plus pensé à elle dès qu'elle eut franchi la porte, lui expliquerais-je, un mois plus tard, dans le petit café qui se trouve à l'angle de la rue Corneille et de la rue de Vaugirard, et d'où on a vue sur le jardin du Luxembourg sur lequel tombait ce soir-là une pluie drue qui le faisait ressembler à une forêt noyée sous la pluie. Les grands espaces et les forêts me manquaient. On entendait parfois des oiseaux, dans Paris, mais c'étaient le plus souvent des moineaux, des pigeons, quelques corneilles, des mouettes qui avaient suivi des péniches depuis Rouen ou Le Havre. C'étaient les corneilles qui me ramenaient en pensée à Butte et aux cris des grands corbeaux, des engoulevents, des passereaux mangeurs d'abeilles, des oies sauvages se déployant vers le nord.

J'avais donc oublié Rebecca pendant les semaines qui avaient suivi sa visite, rue Corneille, comme c'est fréquent dans les rencontres singulières ou décisives; en vérité, elle s'était logée dans cette partie de mon esprit où elle attendait secrètement son heure, c'est-à-dire un événement qui la rappellerait à moi, elle qui aurait pourtant aimé disparaître à jamais dans le récit qu'elle nous avait confié et qui n'était pas publiable en l'état, avais-je dit au directeur de la maison d'édition, lorsque celui-ci, trois semaines plus tard, en avisant le texte qui traînait sur une pile de manuscrits, dans son bureau, avec mon rapport de lecture, m'avait demandé si je pensais que le texte était bon.

« Il y a en lui quelque chose de remarquable mais d'inabouti, avais-je répondu.

— Laissons tomber, alors ! »

La pluie qui mouillait les petits pavés, dans la cour de l'immeuble où je travaillais, me rappelait soudain la jeune visiteuse puis son texte, qui évoquait, avec sécheresse et une ironique distance, une enfance à Aalborg, au Danemark, un arrière-grand-père qu'elle soupçonnait d'avoir été nazi, un oncle pasteur, un père trop gentil pour n'être pas indifférent, voire absent, et une mère qui avait décidé de croire que la vie lui accorderait une seconde chance et qui, dès lors, avait vu en Rebecca grandissante une rivale qu'il importait d'éloigner en l'envoyant vivre à Wellington, dans la famille maternelle, sous le prétexte de parfaire son anglais ; à quoi la jeune fille avait échappé en décidant de poursuivre en France ses études supérieures, ayant très tôt nourri un intérêt particulier pour la langue française, la seule qui lui permettrait d'échapper au danois et à l'anglais, grâce à un professeur de troisième qui lui avait fait découvrir Marguerite Duras, *L'Amant, Le Ravissement de Lol V. Stein* et surtout *Détruire dit-elle*, des livres qui lui avaient rendu presque supportable le divorce de ses parents et l'avaient amenée à écrire en français, non pas comme Duras mais, espérait-elle, comme personne, ne voulant être personne, surtout pas elle-même, écrire relevant pour elle d'une forme d'anonymat, sinon d'une heureuse destruction de soi.

« Ce qui me frappe, dans votre récit, c'est ce que vous n'y dites pas. »

Rebecca comprenait que son livre ne serait pas publié. Je n'avais pas besoin de justifier la décision de l'éditeur ; je ne voulais pas être l'instrument du refus, ce qui m'aurait fait détester d'elle, comme ne manquent pas de le faire ceux à qui on apprend que leur livre est refusé, n'eût-on joué aucun rôle dans cette décision, le messager étant coupable, tout comme le témoin, jamais le mauvais écrivain. Rebecca me regardait avec un sourire qu'on aurait trop vite fait de dire énigmatique. D'ailleurs il n'y avait en elle nul mystère, et elle ne souriait pas vraiment : elle était son propre gouffre, une somme de souffrances parfois insoutenables, et elle attendait, et l'attente dessinait sur ses lèvres un pli qui pouvait passer pour une manifestation de son aménité, ou bien d'indifférence.

« Vous voulez dire que j'ai écrit ce texte pour ne rien dire ? a-t-elle murmuré après avoir bu une gorgée de vin.

— Oui, en quelque sorte : pour vous taire, pour assumer votre désir de silence... »

Je parlais comme un intellectuel français. C'était, après tout, ce qu'on attendait de moi et je jouais mon rôle, croyais-je, en m'exprimant dans une forme de parole extérieure à moi-même, avec une politesse destinée à faire accepter à Rebecca le refus de son manuscrit. Un refus que je trouvais injustifiable, vu le nombre de manuscrits sans intérêt qui se publiaient chaque jour, commis par des Français ou des écrivains étrangers, surtout anglo-saxons, les plus nombreux, et qui jouissaient d'un préjugé si favorable qu'il suffisait d'être américain pour être traduit en français et dans les principales langues européennes, comprenais-je, en disant à Rebecca qu'elle aurait dû écrire son livre en anglais, au pire en danois, mais pas en français, où l'on s'oublie soi-même pour mourir plus vite qu'en aucune autre langue, comme le disait Bugeaud.

Rebecca tressaillait. Le livre se refermait. À vrai dire, il ne s'était pas ouvert. Le tressaillement, je l'avais deviné non dans ses yeux ni dans sa figure, qui avait une apparence de cire froide ou de cérat, ce mélange de cire et d'huile destiné à faciliter l'absorption d'un médicament, mais dans ses mains qu'elle avait posées sur la table en bois verni, près de son verre de bordeaux, un vin pour lequel elle avait opté après s'être fait énumérer l'ensemble des vins proposés par le café, parmi lesquels on trouvait du fitou, du cabardès, du gaillac, qu'elle ne connaissait sans doute pas et qu'elle n'avait pas osé commander. Ses doigts se sont légèrement écartés les uns des autres comme pour accueillir la vérité délivrée par mes mots. Je buvais de la bière, qu'elle détestait car trop danoise et productrice de rots dont le nom de sa ville natale, Aalborg, lui semblait l'imitation, disait-elle en me faisant douter si elle pourrait accepter une vérité donnée par un buveur de bière.

« J'y suis pourtant tout entière, dans ce texte. »

Je lui ai demandé si elle faisait allusion à la scène où elle avait rompu avec son oncle, le pasteur, qui l'avait un jour surprise dans la salle de bains, les jambes écartées, le sexe ouvert, les doigts sur les lèvres, l'air de lui suggérer une chose que nulle autre bouche ne pouvait proférer.

Elle a haussé les épaules en murmurant :

« La pluie tombe sur nos bouches.

— Vous parlez comme un personnage de Georges Bataille ! »

Je regrettais déjà ce qu'elle prendrait sans doute pour un lieu commun, Bataille étant la référence obligée de l'érotisme littéraire et des transgressions codifiées par le goût contemporain pour les frissons que fait naître la mort de Dieu, aurais-je pu dire aussi, si je n'avais craint de parler, cette fois, comme un héros dostoïevskien. On le voit : Rebecca était plus purement littéraire que moi, qui me bardais de références, ou bien plus avancée sur la voie de la nudité.

« Oui... C'est là que je suis, dans mon sexe, dans le silence de ma bouche, de ma vie. »

Elle parlait en prononçant le *oui* d'une façon qui n'était qu'à elle, en le détachant un certain temps avant de le laisser tomber comme une pierre au fond d'un puits, après un moment d'hésitation plus ou moins long qui donnait parfois l'impression qu'acquiescer revenait pour elle à se jeter dans le puits, à être la pierre, son *oui* étant en outre un mot qu'elle avait du mal à défaire d'un reste d'accent danois (du moins ce que je supposais tel, d'après ces fils de Danois qui travaillaient dans les mines, à Butte, et qui se moquaient quelquefois de moi, à l'école, dans la langue de leurs parents). Elle ne tentait pas de le faire disparaître. Elle n'avait d'ailleurs rien à cacher : elle était sa propre cachette, me dirait-elle, ce soir-là, avec un peu de complaisance, peut-être, une fois que ses doigts eurent rencontré les miens sur le bois de la table.

« Oui ; et j'emploierai même le mot de *cèlement*, qui n'existe peut-être pas, mais peu importe : nous ne sommes que des visiteurs de la langue française, n'est-ce pas, des hôtes de passage, des vagabonds, presque des clandestins ; et il me plaît de dire que je suis celée à moi-même... »

Et elle riait — et riait seule, comme tout ce qu'elle faisait quand elle se trouvait avec quelqu'un, devinais-je.

J'ai fait semblant de rire. Je ris rarement.

Je découvrirais plus tard que le verbe *celer* appartient au vieux fonds de la langue, et que *cèlement* est un néologisme qu'elle faisait exister avec une conviction qui me l'a fait adopter à mon tour, et ainsi comprendre la précarité de notre existence, à Rebecca et à moi, dans cette langue française où nous continuions à nous dévisager, à nous découvrir l'un l'autre avec une étrangeté qui convenait à la situation créée par la jeune femme, dès qu'elle se fut emparée de mes doigts pour les enlacer aux siens qui étaient froids, comme ceux de tant de femmes, ai-je cru bon de lui dire, obtenant un sourire un peu différent des autres et qui a semblé amollir la cire brune de ses yeux, Rebecca me rétorquant qu'elle n'aimait pas les femmes, du moins ce qu'on appelle politiquement ainsi, aujourd'hui, notamment dans les pays anglo-saxons, mais que je devais me méfier des généralités les concernant, car les femmes y puisent souvent des raisons de triompher.

« Ma mère, pourtant, avait toujours froid aux mains et

aux pieds, dans notre maison, à Butte, dans le Montana, et quand elle a découvert un autre type de froid, avec le départ de mon père, et que le bourbon ne l'a plus réchauffée, c'est moi qu'elle a chargé de cette tâche : la réchauffer, dès que je rentrais du collège, et même après, au milieu de la nuit, quand l'insomnie s'ajoutait au froid qui lui glaçait l'âme, comme elle disait. J'ai compris ce qu'était une femme en voyant pleurer ma mère tandis que je tenais ses pieds entre mes mains avant de les placer sur la peau de mon ventre, et qu'elle s'inquiétait que le froid qui venait de ses pieds puisse me donner la colique. Les pieds d'une femme sont la partie la plus méconnue de son corps, la plus négligée, sauf par les fétichistes, disais-je en regardant la pluie tomber sur les marronniers dont les feuilles roussies se détachaient lourdement.

— Allons nous promener dans la forêt ! » a lancé Rebecca pour qui le mot bois ne désignait que, débité, le produit de l'arbre et non un parc ou un lieu de promenade tel que le bois de Vincennes.

J'ai répondu que le jardin du Luxembourg fermait tôt en hiver. Je n'avais pas envie de bouger. Je m'étais mis à penser à la radiographie du pied droit de ma mère, effectuée lorsqu'elle s'était cassé la cheville en manquant la plus haute des trois marches menant à notre petite maison et que j'avais découvert l'horreur de la condition humaine en contemplant, blanc sur noir, ce fagot d'os en lieu et place du pied que ma mère avait beau et qui était peut-être une des raisons pour lesquelles cette femme vieillissante et malheureuse me les donnait à réchauffer. Elle en prenait soin en les enduisant de crème, comme le reste de sa personne, quoique sans coquetterie, avec, même, ce qu'il faut de rigueur pour donner à la décence un visage agréable. Et c'était à ces os que me faisaient penser les doigts si fins, presque maigres, de Rebecca : celle-ci avait beau sembler replète, pour autant que je pouvais en juger d'après ce qu'elle me laissait voir car, cette fois encore, elle avait gardé son duffle-coat qu'elle s'était contentée d'entrouvrir sur un chemisier bleu ciel que tendait une poitrine ronde et ferme, ses mains appartenant à sa part danoise, pensais-je, tandis que leur contact m'étonnait plus qu'il ne m'émouvait et, pour être parfaitement sincère, me troublait surtout parce qu'il m'obligeait à regarder vraiment Rebecca, à chercher dans son visage et dans ses yeux quelque chose qui ressemblât à un sourire et me confirmât ce que ses doigts me suggéraient d'une si étrange façon par leur douce froideur, et qui était la promesse incertaine d'une joie qui m'a conduit à parler de tout et de rien.

« Parlez-moi de la Nouvelle-Zélande ! ai-je fini par lui demander.

— En fait, je n'y suis jamais allée. Ma mère vit maintenant à Tampa, en Floride, avec un Canadien français. Tout ce que j'en connais, c'est l'accent de Wellington que j'imite parfois en parlant l'anglais, lorsque je suis avec ma mère, comme on emprunte un manteau léger. »

Et elle riait en baissant les yeux, ajoutant d'une voix un peu rauque qu'elle était désolée de me décevoir, peut-être, de ne pas me paraître plus simple, d'avoir l'air franchement bizarre — autre mot récurrent de son vocabulaire.

« La Floride : tout ce que je déteste, avec la Californie, la télévision et la musique pop. L'Amérique sans âme. La chaleur moite, les reptiles, les mafieux, les retraités obèses, les sportifs. Répugnant ! Je suis définitivement des Rocheuses. Un homme du Nord. Un type simple...

— Personne n'est simple. Vous êtes bizarre... »

Elle avait raison, et elle le soutenait avec une ironie qu'elle exerçait aussi bien à son endroit et dont j'ai fini par comprendre qu'elle l'empêchait de s'abandonner à ses terreurs.

J'ai demandé deux autres consommations, du vin pour elle, pour moi de la bière, puis je me suis tu. Les derniers mots de Rebecca me ramenaient au sexe, seul domaine où la simplicité n'existe pas — ou alors c'est une forme de perversion, une menace, comme le silence des femmes. Je me suis délivré des doigts de Rebecca. Je repensais aux pieds de ma mère et me demandais si ceux de Rebecca étaient aussi osseux que ses mains. Je ne suis pourtant pas fétichiste. Mes inclinations sexuelles sont américaines, c'est-à-dire tout à la fois coupables et faciles à assouvir, c'est-à-dire plus rêvées que réelles, et d'un embarras qui peut déboucher sur la maladresse ou, chez d'autres, sur une forme de brutalité. Je regardais Rebecca se taire pour boire son vin, ce qu'elle faisait avec une lenteur et une minutie extrêmes, comme si elle procédait à l'analyse chimique du vin autant qu'à l'étude de ce que le breuvage suscitait au plus profond d'elle et, pourquoi pas, des corrélations qui pouvaient s'établir entre les effets du breuvage et l'ensemble des opérations chimiques et spirituelles qui la reliaient à l'univers. Je la regardais en me demandant ce qui s'ensuivrait, supputant qu'avec elle les choses n'étaient sans doute pas simples; en quoi je me trompais : au sein du grand désordre de sa vie, une fois qu'elle était là, avec moi (mais je n'étais pas le seul homme à lui donner confiance), dans ce repli du temps où elle pouvait enfin s'oublier, Rebecca était la plus simple des femmes ou, pour reprendre ses mots, à peu près folle — avec la valeur positive, à tout le moins affectueuse qu'elle donnait à ce mot, s'agissant d'elle-même.

J'avais presque dix ans de plus qu'elle mais Rebecca me paraissait tout à la fois extraordinairement jeune et désabusée, c'est-à-dire qu'elle en savait bien plus sur les hommes que moi sur les femmes : elle était presque indifférente à ce qui pouvait lui arriver sexuellement, ayant sans doute atteint cette forme de sagesse qui consiste à ne pas surestimer l'amour physique, du moins la jouissance et le corps masculin. Rebecca avait raison : les généralités manquent souvent leur objet et relèvent d'un défaut de goût, pour parler comme les Français, lui dirais-je, je ne sais plus à quel propos, un peu plus tard, sur le Pont-Neuf.

Il ne pleuvait plus. Le vent était tombé. La statue équestre d'Henri IV paraissait sur le point de se mettre en route dans la lumière violente des bateaux-mouches qu'on entendait manœuvrer à la pointe de l'île et où, pas plus que Rebecca, je n'avais mis les pieds, ayant d'emblée refusé de me conduire en touriste, ne visitant qu'un musée par semaine, m'efforçant même, plusieurs jours de suite, de rester à écrire et à lire dans la chambre de bonne que j'avais louée, rue Gay-Lussac, d'où je ne sortais que pour faire des courses, le plus tard possible, après m'être promené au Luxembourg où je cherchais, dans une espèce de songe, l'ombre de Temple Drake, l'héroïne de Faulkner, un des rares écrivains dont j'aie apporté un livre, *Absalon, Absalon !*, avec des nouvelles de James, les poèmes d'Emily Dickinson et un choix de sermons du cardinal Newman que ma mère avait glissé dans ma valise et que je n'avais pas osé lui rendre. Naguère, j'avais lu *Tropique du Cancer, Paris est une fête*, et aussi *Satori à Paris*; mais Miller, Hemingway et Kerouac étaient à présent loin de moi, et j'avais décidé de ne plus lire qu'en français. Je n'imaginais alors pourtant pas d'écrire dans cette langue. Si je le fais, aujourd'hui, c'est à cause de Rebecca, et aussi pour elle : le français aura peut-être été notre forme d'amour la plus vive — ce dans quoi nous nous serons aimés bien mieux qu'en toute autre langue, voire nos corps mortels.

En arrivant sur le Pont-Neuf, reprenant la conversation que nous avions eue, au café, un peu plus tôt, Rebecca m'avait demandé s'il n'était pas bizarre de réchauffer les pieds de sa mère sur son ventre.

« Elle souffrait terriblement de ce que mon père l'avait quittée, surtout pour une demi-Sioux.

— Oui. Je comprends... Le froid qui est dans toute femme, bien qu'on prétende le contraire. »

J'aurais pu lui dire qu'elle émettait une généralité à propos des femmes. Je me suis contenté de sourire, cherchant quoi répondre, craignant de paraître niais, puis me jetant à l'eau pour lui demander si elle savait que Hemingway, après avoir acheté du pain, de la charcuterie et du vin, venait souvent écrire au Vert-Galant, au pied du pont sur lequel nous nous tenions, debout, l'un près de l'autre, ayant marché jusqu'à la Seine, moi sous mon parapluie, elle dans son duffle-coat dont elle avait rabattu la capuche sur sa tête après avoir refusé que je l'abrite, marchant même à une certaine distance de moi, son pas plus bref que le mien et ainsi obligée de le presser, ce qui me laissait penser, non sans cette légère irritation propre à ceux qui découvrent un défaut dans la femme qu'ils convoitent, qu'elle avait des jambes un peu courtes. Cela ne m'avait pas dissuadé de l'entraîner, rue de Tournon, dans la cour d'un hôtel particulier dont la porte était ouverte, cet après-midi-là, et de l'embrasser. Embrasser est un bien grand mot, comme disent les Français dont je ne devrais pas employer les expressions toutes faites ; elles me donnent l'impression de me grimer, de me glisser dans des habits d'un autre âge pour une cérémonie dont j'ignore tout, notamment si, comme je le soupçonne, elle n'est pas funéraire. J'écris d'ailleurs pour savoir si l'amour, comme toute entreprise littéraire, n'est pas une sorte de cérémonial funèbre et si, en l'occurrence, cette pensée ne m'est pas inspirée par le souvenir de ce premier baiser dans la cour quasi obscure où la pluie tombait sur les pavés luisants avec un bruit qui évoquait pour moi, je ne sais pourquoi, la phrase française, et aussi, par contraste, le bruit qu'elle fait, à Butte, quand elle tombe sur notre toit en tuiles goudronnées, sur le capot de notre vieille Datsun rouge, sur les marches de bois menant à notre porte, sur la tôle du hangar où j'aimais aller lire, l'été.

Je pensais à cela pour ne pas songer combien il était

décevant, ce premier baiser, lequel n'en était pas vraiment un, donc, puisque Rebecca s'était contentée de se laisser baiser les lèvres, sa langue n'allant pas à la rencontre de la mienne, sinon une ou deux fois, furtivement, comme un serpent, imaginais-je, tandis que la mienne ne rencontrait que ses dents, ma bouche ses lèvres gercées, mon nez son haleine un peu âcre et alourdie par le vin.

Au moins ne s'était-elle pas dérobée ; elle avait même fermé les yeux et renversé la tête ; mais ses bras étaient restés le long de ses hanches, les poings fermés, le corps assez loin du mien, comme si elle se laissait embrasser pour mieux se refuser, de sorte que j'avais dû prendre entre mes mains sa tête qui semblait un élément autonome et trop lourd de son corps.

« No french kiss ? ai-je fini par demander.

— No English ! »

Elle riait — et elle avait raison : l'anglais ne devait pas être de mise entre nous, même si, pour jouer sur les mots, la manière anglaise de s'embrasser affectait le langage de Rebecca. C'est la seule fois où nous avons échangé des mots dans cette langue où il nous semblait, comment le dire autrement ? que nous nous renierions et renoncerions à ce pour quoi nous avions décidé de vivre à Paris. Ce fut aussi l'occasion de constater que nous ne pourrions jamais nous tutoyer, quelle que dût être la nature de nos relations. Ainsi, je consentais à un pacte dont j'ignorais les termes autant que l'objet, Rebecca aussi, quoique j'aie compris, dès ce moment, que les femmes en savent toujours plus que nous sur ce qu'elles nouent avec les hommes, et Rebecca plus qu'aucune autre. C'était, ai-je aussi songé, une musique inconnue dont le déploiement ne cessait de m'intriguer, de me dérouter, de m'inquiéter, même. Voilà pourquoi, dans la cour, puis dans la rue, je ne l'ai plus touchée que par le coude : manière de ne pas chercher à lui caresser les seins dont la forme et la consistance étaient pourtant devenues l'objet d'une insistante rêverie — les seins déterminant en grande partie, avec le baiser et l'odeur, la qualité de mes rapports avec les femmes; et j'avais tout lieu de croire, s'agissant de Rebecca, qu'un homme qui, lors du premier baiser, ne touche pas les seins d'une femme, laquelle ne lui donne pas vraiment sa langue, cet homme n'est pas voué à une relation heureuse avec l'objet de son désir. Je n'allais pourtant pas jusqu'à me demander si Rebecca était de l'autre bord ou si elle se laissait embrasser par opportunisme, me prêtant un pouvoir éditorial que je n'avais pas, si grand est le prestige des éditeurs auprès des jeunes femmes, dans un pays comme la France où la littérature reste un objet de dévotion, alors que partout ailleurs, me dirait Pascal Bugeaud, elle est devenue une composante du grand divertissement international.

Rebecca marchait en silence. Je cherchais mes mots; je ne me trouvais rien à dire : j'étais déçu, presque défait. N'attendant rien, je m'étais attendu à tout, et je me perdais, devinant que je ne gagnerais rien. Nous arrivions au bout de la rue de Seine, devant le petit passage voûté qui permet de rejoindre la place de l'Institut de France et le fleuve. Il me fallait retrouver la parole, faute de quoi je ne pourrais aller plus loin. La parole était le vrai, le seul chemin. Traverser la Seine par la passerelle des Arts, où les amoureux du monde entier viennent inscrire leurs noms sur un petit cadenas qu'ils accrochent au grillage de la rambarde et dont ils jettent sans doute la clé dans le fleuve, selon une de ces ridicules superstitions modernes propres aux jeunes gens et à ceux qui regrettent leur jeunesse, ce chemin nous aurait éloignés de nous-mêmes, ai-je pensé en renonçant aussi à me rendre dans la cour Carrée du Louvre, laquelle était en travaux, ainsi qu'à écouter le carillon de l'église Saint-Germain-l'Auxerrois que Rebecca entendait quelquefois de chez elle, place Dauphine, lorsque le vent soufflait de l'est, me dirait-elle après m'avoir entraîné sur le quai de Conti pour me conduire au Pont-Neuf, comme si j'étais non seulement muet mais aveugle, jusqu'à la statue d'Henri IV à laquelle nous avons tourné le dos, toujours en silence, les seuls mots qui me soient venus à la bouche étant ceux qui composent ce vers d'un grand poète français que j'avais croisé, rue Corneille, et dont je ne me rappelais plus le nom mais dont Bugeaud m'avait déclamé ce vers, un soir où nous avions trop bu, lui et moi, et où nous nous remémorions ce que nous connaissions de plus beau, avec le visage de certaines femmes et des motifs musicaux :

« La Seine était verte à ton bras. »

Il disait donc, ce beau vers, comment Rebecca s'inscrivait dans le paysage parisien, à ceci près que, ce jour-là, la Seine était beige, avec des reflets noirâtres, gonflée, véhémente, pleine de débris, parmi lesquels un chapeau d'homme qui nous a fait songer que c'était celui d'un noyé, Rebecca me demandant ensuite si le vers était d'Apollinaire. Je me suis contenté de lui sourire en contemplant avec elle le pont Saint-Michel, le clocher de l'église Saint-Séverin, la tour de la faculté des sciences, les tourelles moyenâgeuses de la préfecture du police, les vieux immeubles bordant le fleuve et, de l'autre côté, des bâtiments plus anciens, avant d'en revenir à l'entrée de la place Dauphine.

C'est alors que j'ai comparé cette place à un vagin, en songeant que ces mots pouvaient avoir une connotation déplaisante. J'ignorais qu'avec Rebecca on pouvait tout dire, à condition que ce fût sans vulgarité, et que cette extraordinaire liberté d'esprit signalait une si grande disponibilité sexuelle qu'on n'était pas sur-le-champ tenté d'en profiter, si bien que je suis tout près de dire qu'elle avait fait de cette absolue liberté une forme de vertu, c'est-à-dire un art. Et c'est peut-être l'intuition de cette disponibilité, plus que la quasi-certitude d'une bonne fortune, comme on disait autrefois, qui m'a poussé à comparer la place Dauphine à un vagin, moi qui suis sans doute plus pudibond que je ne veux bien me l'avouer, ma mère m'ayant inculqué un sens de la culpabilité que mon père, en nous abandonnant, n'a fait que rendre pathologiquement vraisemblable, comme chez tous les enfants de divorcés, desquels il reste à écrire l'histoire sous un angle mythologique.

Rebecca se tenait devant moi en silence. Elle soutenait mon regard, souriait avec une gravité qui semblait devoir déboucher sur la détermination la plus tragique. Aussi bien pouvait-elle se mettre à rire, et d'une manière si sonore que j'avais l'impression que c'était moi qui riais. Les joues m'en cuisaient, d'ailleurs. Je le répète : je ris trop rarement pour que le fait de rire ne paraisse chez moi une sorte de honte.

« J'aurais dû parler autrement, ai-je bredouillé.

— Tout commence par le vagin. Et je suis tentée de dire que tout finit par lui. »

Elle me regardait sans ciller. Peut-être était-elle ailleurs. La pluie avait repris. Elle tombait dans ma bouche, me semblait-il. J'aurais aussi bien pu pleurer, ou frapper Rebecca, ou sauter dans la Seine pour mettre fin à ce qui devait être un malentendu. Je m'étais mis à tout attendre de Rebecca. J'étais vain, et plein d'espoir. Je cherchais quoi répondre à la jeune femme dont je me demandais si elle n'avait pas simplement voulu faire un bon mot, les mots n'ayant pourtant pour elle rien de ludique, ce qui ne l'empêchait pas de goûter l'humour, comme tous ceux dont l'existence dépend tout entière de la langue, ai-je compris quand elle m'eut laissé seul sur la place, devant sa porte, sans m'avoir invité à monter chez elle, à cause, disait-elle, du désordre qui y régnait et qu'elle ne parvenait pas à endiguer.

3

En vérité, elle avait parlé non pas de désordre mais de bordel; son langage avait de ces failles qui la faisaient recourir quelquefois à la lie qui constitue le fond du langage parlé, surtout aux États-Unis, et à quoi je tente d'échapper en recourant au français (où je me fourvoie certainement, avec cependant l'assurance que ce détour m'est indispensable pour voir la langue anglaise avec cette distance que j'appelle le point de vue de la mort et espérer écrire un jour dans ce qui deviendra ma langue, c'est-à-dire un état de l'anglais qui me sera propre et dans lequel je mènerai une existence au-delà de la vie et de la mort : celle de la littérature).

Le mot bordel m'a fait penser à cette maison close de Butte, qui a fermé ses portes en 1980, en même temps que les mines, The Dumas Brothel, cette *whore house* devant laquelle j'allais rôder, enfant, pour avoir entendu ce nom dans la bouche de mes camarades, sans savoir ce qui s'y passait exactement et, à cause du nom de Dumas dont j'avais lu *Les Trois Mousquetaires* et qui le tirait vers la littérature, imaginant qu'il se déroulait dans cette maison pourtant sans caractère un cérémonial quasi religieux où des femmes se sacrifiaient, la nature de leur sacrifice m'échappant néanmoins, ce qui ne m'empêchait pas de l'identifier à la littérature, ai-je eu envie de raconter à Rebecca, que je me représentais retournant à son *bordel* comme à un douloureux destin, avec sa capuche qui lui cachait presque entièrement la tête, qu'elle tenait baissée, quasi soumise, lorsqu'elle ne parlait pas, non sans quelque ressemblance avec une moniale regagnant sa cellule ou une prostituée la chambre où elle officie.

Rebecca aurait aussi bien pu me dire qu'elle habitait un trou noir et que sa vie n'était que de l'antimatière (et je ne suis pas certain qu'elle ne se soit pas exprimée de cette manière-là, un soir d'ivresse, car nous buvions beaucoup ensemble, aimant ces métaphores par lesquelles elle tentait d'échapper à ce qu'elle appelait la damnation de la psychologie ordinaire, ou la tragédie du langage courant). J'étais tout disposé à la croire, à tout accepter d'elle, même : ne prend-on pas toujours pour argent comptant ce que déclare une femme qu'on vient de rencontrer et dont on est, sans bien le savoir encore, tombé amoureux ? Cette forme de foi est le plus beau signe de l'amour, malgré le verbe tomber qui désigne une chute morale — le désir, instinctif, violent, archaïque, donnant, lui, l'illusion qu'il précède tout, car il donne aussi le signal de la fin, m'étais-je très tôt persuadé, non seulement à cause du bordel Dumas mais surtout à voir les très jeunes gens de Butte, dont j'étais, prendre plus tard, avec la bénédiction de leurs pères, le chemin des caravanes où exerçaient les prostituées, aux abords de la ville, où elles contribuaient à trans-

former la périphérie en centre pulsionnel, donc à per-
turber heureusement l'ordre social, me disait en privé,
et en des termes plus clairs, mon professeur de français,
dont je soupçonnais qu'il fréquentait lui aussi ces
femmes qui nous rendent semblables à des coyotes que
la faim pousse à descendre des montagnes pour rôder
devant nos portes, pensais-je encore devant celle,
immense et vert d'eau, de l'immeuble où Rebecca venait
de disparaître comme si elle était passée dans une autre
langue où elle s'effaçait : le danois ou ce que j'imaginais
être la langue de sa mère, le maori, qu'elle ignorait,
pourtant, ou encore l'anglais.

Je m'en remettais à la confiance qui s'était instaurée
entre nous, lorsqu'elle avait pris mes doigts dans les siens
et qu'elle m'avait abandonné ses lèvres avant de marcher
avec moi jusqu'à l'immeuble où je l'avais laissée entrer
sans avoir eu la présence d'esprit de l'inviter à dîner, sans
doute parce qu'il était encore tôt et que je sentais que
la séquence était close, nos vies, particulièrement la
mienne, obéissant à des rythmes quasi musicaux, avec
des motifs récurrents, des thèmes obsédants et une basse
continue qui fait qu'on obéit autant à sa propre volonté
qu'à une dimension contrapuntique du destin — celui
de Rebecca se plaçant, à première vue, sous le signe de
l'étrangeté et du désordre, lequel faisait qu'elle s'en
remettait aux harmoniques de la langue française pour y
voir plus clair en elle-même et ne pas s'abandonner aux
démons qui hantent les autres langues.

La place Dauphine, j'y étais déjà venu, à la fin de l'été,
peu après mon arrivée à Paris. Je m'étais installé à la

terrasse d'un bistrot avec l'intention de procéder à son épuisement, comme Georges Perec l'avait fait d'une autre place de Paris, la place Saint-Sulpice, je crois, dans un texte qui m'avait convaincu qu'écrire c'est tenter d'épuiser une matière donnée, ou bien le fait d'écrire, sinon soi-même — ce qui, dans ce cas, revient à se damner ou à se sauver, ou encore à chercher le salut dans la damnation, voire l'inverse, je l'ignore toujours, et je le savais encore moins, si j'ose dire, ce soir d'octobre, sur la place pluvieuse et déserte, dont j'avais gagné le centre, persuadé qu'il faut parfois gagner le centre de certains lieux pour ne pas se perdre davantage, quand on est la proie du désarroi ou de la souffrance. Je voulais écrire, aimer, vivre, certain que ces trois choses n'en font qu'une, et j'écrivais sans être sûr d'avoir quelque chose à dire, encore trop près de mon enfance, ce qui me cantonnait dans des essais poétiques dans le goût de William Carlos Williams et des objectivistes américains, autant dire une impasse, puisque je ne parvenais pas à repousser ces influences. C'est alors que j'ai décidé de passer au français. Ma description de la place Dauphine serait donc ma première tentative non pas en prose mais en français : je souhaitais, pour la narration, me défaire de l'emprise de Richard Ford, de Raymond Carver ou de John Fante, des écrivains que j'avais aimés à la fin de mon adolescence et qui correspondaient alors tellement à l'image qu'on pouvait se faire de la littérature américaine que j'avais décidé de brûler tout ce que j'avais écrit sous leur influence, laquelle avait permis à quelques-unes de mes nouvelles d'être publiées. J'ai lu autre chose : des Européens, principale-

ment Knut Hamsun, Andrzej Kuśniewicz, Thomas Bern-
hard, Peter Handke, Javier Marías, Cesare Pavese, Louis-
Ferdinand Céline, Jean Giono, Claude Simon, l'Europe
étant le continent où la littérature continue à s'inventer,
me semblait-il, même dans son crépuscule — bientôt
son agonie, tandis que les États-Unis sont hantés par
la collectivisation et la démocratisation absolue de la
littérature, dont l'absence de style, après Faulkner, est
l'un des vecteurs.

Je voulais surtout échapper aux représentations que
j'avais de moi-même en écrivant, et Georges Perec était,
pour cela, moins un modèle qu'un outil de grande précision. J'avais donc commencé par décrire la forme de la
place, ses contours, en commençant par l'entrée qui
part du Pont-Neuf et porte le nom de rue Henri-Robert,
entre deux pavillons du XVIIᵉ siècle, en brique rose et
pierre de taille, hauts de trois étages, et qui sont tout ce qui
reste des bâtiments de la place originelle, construite par
Henri IV en l'honneur du dauphin, le futur Louis XIII.
Les immeubles constituant le fond de la place ont été
rasés au XIXᵉ siècle pour découvrir la rue de Harlay et la
façade du palais de justice, le vagin débouchant naturellement sur la Loi, me dirait un jour Rebecca. L'objectivité à laquelle j'entendais me vouer se heurtait à des
détails historiques, architecturaux et symboliques qui
m'intimidaient, moi qui ai vu le jour dans une ville sans
âme, aujourd'hui quasi fantôme. Je n'aurais pas osé, si la
métaphore m'était venue à l'esprit, ce jour-là, écrire que
la place ressemble à un vagin : il me semblait que ce
n'était pas assez « littéraire », ou que c'était obscène, ce
qui est peut-être la même chose, encore que quelque

chose de trop littéraire puisse aussi relever de l'obscène : celle de l'académique, du corps mort de la langue. Un Américain ne pouvait qu'échouer dans cette description : la place Dauphine est non seulement un lieu chargé d'une histoire à laquelle j'étais étranger, la notion même d'histoire m'étant étrangère, mais aussi, puisque j'écrivais alors en anglais, un endroit auquel je resterais à jamais étranger. Ce n'est pas comme ça qu'on doit écrire quand on a la passion de la vérité, comprendrais-je bientôt. C'est pourquoi j'ai recommencé, en français, cette fois, mon français étant si pauvre que l'objectivité me viendrait moins difficilement, me semblait-il. La platitude l'avait cependant emporté, et j'avais renoncé à mon texte, auquel je songeais de nouveau, ce soir-là, sous les maigres arbres qui ne m'abritaient pas de la pluie, me rappelant comme un signe destiné à battre en brèche la platitude de ma vie le fait que la haute porte verte derrière laquelle avait disparu Rebecca m'avait résisté stylistiquement avant de m'interdire le domicile et le corps de la jeune femme, et que je n'avais pas été capable de la décrire, cette porte : les mots techniques me faisaient défaut — à propos de quoi Pascal Bugeaud m'avait rasséréné en m'expliquant que ces mots-là font défaut à la plupart des écrivains français contemporains, la description étant devenue une des failles où se perd la littérature.

Mon texte, je l'ai pourtant repris, le même soir, en repartant de zéro, c'est-à-dire du vagin, la présence de Rebecca lui donnant sa vraie dimension : celle d'un récit dont j'ai bientôt envoyé à la jeune femme les pages qui témoignaient de notre rencontre. Elles s'arrêtaient à sa porte, cette fois encore, quoique d'une autre façon, avec une sorte d'espoir. J'avais osé la métaphore vaginale. Rebecca la jugeait juste mais trop symbolique, sinon kitsch, trouvant par ailleurs que la place ressemblait davantage à une vésicule biliaire, comme elle me le dirait de vive voix, dans le café de la rue Corneille où nous nous retrouverions, quelques jours plus tard. Il ne pleuvait plus. Il faisait doux : une manière d'été indien, si je me souviens bien, en m'étonnant que les Français emploient couramment cette expression. Rebecca avait ôté son duffle-coat et laissait voir enfin ses formes, assez replètes, et qui faisaient de ses seins, lourds et ronds, comme je l'avais deviné, et certainement magnifiques, le vrai centre d'un corps qu'elle semblait dévoiler en riant un peu trop fort — un rire de corbeau sacré, semblable à ceux qui figurent sur les totems des îles de la Reine-Charlotte, ai-je pensé, étrangement, l'étrange et l'inattendu se mettant à gouverner ma vie dès que j'eus reconnu que je m'intéressais à Rebecca plus que je ne l'aurais voulu.

En ce temps-là j'étais terriblement seul, néanmoins hanté par les femmes, plus particulièrement par la chair, comme disait ma mère, qui m'avait enseigné que la chair est non seulement faible, comme l'esprit, mais coupable, et quasi persuadé, moi, que la plupart des femmes n'aiment pas faire l'amour : ce qui se passe entre elles et les hommes ressemble presque toujours à une espèce de viol, et l'amour à une défaite de la volonté. D'où ma solitude, à Butte, comme à l'université de Missoula, et bien sûr à Paris, où j'avais cependant rencontré une jeune Libanaise, un soir où je mangeais un *chich taouk* dans un snack de la rue Saint-André-des-Arts, et que j'avais revue plusieurs fois mais qui, cette étudiante, m'avait fait comprendre qu'elle ne se donnerait pas à moi, fidèle au jeune Français avec lequel je l'apercevrais, le surlendemain, et de toute façon fascinée par Bugeaud, sur l'œuvre de qui elle travaillait. Elle m'avait fait connaître une de ses compatriotes, plus âgée, jolie, et mariée, mère de trois garçons, ce que ne révélait pas sa minceur, et qui s'ennuyait à Paris, son mari diplomate étant en poste à Oslo, où elle ne voulait pas vivre, à cause du froid et de l'ennui qui règne dans la capitale norvégienne. Elle n'exerçait aucun métier, trouvait le temps long, évoquait le désenchantement conjugal, pensait que sa vie s'achevait dans le défaut d'amour — celui qu'elle vouait à ses enfants et à cet autre enfant que devient un mari qu'on ne désire plus, lorsqu'on ne le hait pas, ne lui suffisant pas. J'ai eu la fatuité d'en déduire que je lui plaisais : j'étais un peu plus jeune qu'elle qui était venue me voir plusieurs fois dans mon bureau, rue Corneille, habillée d'une robe assez courte qui laissait voir de belles jambes bien prises dans des collants aux motifs arachnéens et d'élégantes bottes de cuir : elle riait beaucoup, avait accepté de dîner avec moi, me laissant lui prendre la main à table pour y lire sa ligne d'amour, puis la raccompagner devant sa porte, rue Auguste-Comte, mais pas lui poser la main sur l'épaule, encore moins approcher ma bouche de la sienne, sans me décourager entièrement, ni refuser de me revoir, malgré les SMS sincèrement émus que je lui adressais, et puis m'envoyant un long mail où elle me disait qu'elle ne serait pas ma maîtresse, que j'étais un écrivain, donc un homme à femmes, qu'elle ne voulait pas faire partie de ma collection : tout ce qu'une femme peut objecter à un homme qui la désire sans l'aimer, et qui, c'était le cas, ne la désire que médiocrement tout en espérant que la satisfaction du désir débouchera sur de l'amour, les sens abattant les dernières résistances et donnant toutes leurs chances aux pouvoirs de l'esprit. De ce refus, j'étais moins humilié que désolé de m'être conduit comme un dragueur de supermarché, ce que je n'avais jamais encore fait, ayant pourtant compris que ce sont les femmes qui mènent la danse, et que je n'avais été pour cette femme qu'un importun, doublé d'un rustre, et renvoyé à cette haine de soi que me donne le peu de goût que j'ai de ma propre personne, voire à cette impression d'être laid qui ne me quitte guère mais à quoi s'ajoutait, cette fois (et quelque excuse que j'eusse pu trouver dans l'ambiguë conduite de cette femme), la certitude d'une laideur morale.

Sans être laid, je ne suis pas beau, ni ouvert, encore moins sympathique. Je ne jouais pas non plus au beau ténébreux. J'étais, surtout, extraordinairement seul, introverti même, et persuadé qu'on échoue toujours à parler de soi comme des autres, lorsqu'on ne s'aime pas soi-même comme un autre. Ma qualité de citoyen américain m'avait bien valu l'éphémère indulgence d'une ou deux filles de passage, des Nordiques, mais leur soudaine détermination m'avait fait reculer, me semblant fausse, ou dominatrice. Il est vrai que mes goûts me font m'incliner vers les filles du Proche-Orient et de l'Asie ; et, après de décevantes expériences avec des prostituées indiennes et chinoises de ma ville natale, je m'en étais remis aux sites pornographiques qui abondent sur Internet, ma main devenant la plus fidèle des maîtresses, quoique illusoire, puisque j'avais fini par rêver ma vie sexuelle, recherchant particulièrement les films où figuraient des Asiatiques aux seins lourds, à la taille étroite, au sexe non rasé, aux cheveux coupés au carré. On mesure ainsi ma solitude, sinon ma déchéance, et ce que Rebecca éveillait en moi, espoir et violence, car on ne passe pas impunément de l'illusion à l'évidence la plus mystérieuse.

Rebecca riait, donc, en ôtant son manteau et même le mince gilet bleu marine qui recouvrait un petit chemisier d'été à col Claudine et courtes manches de dentelle qui contrastait avec son jean élimé et ses chaussures de tennis. Elle se disait heureuse de me retrouver, dans ce café sombre, réaffirmant son goût des endroits glauques et de l'épithète par laquelle elle les caractérisait, et à quoi, me rappelant un cours sur Homère, j'aurais pu lui objecter que l'adjectif glauque désigne simplement le vert marin. Elle riait comme si elle se jetait dans les eaux d'une tout autre mer, ou de la nuit. Elle m'avait téléphoné après avoir lu mes pages sur la place Dauphine, sans rien m'en dire, sinon qu'il y manquait une perspective intérieure. Impossible de savoir si elle les appréciait ou si elle les détestait. Impossible d'imaginer ce qu'elle aimait vraiment ni si elle éprouvait pour moi autre chose que ce sentiment de bizarrerie dans lequel elle incluait tout ce qui l'émouvait tout en lui signalant l'inquiétante et douloureuse énigme qu'elle demeurait à elle-même et à quoi autrui la renvoyait — et qui me faisait me demander si ce n'était pas d'elle-même qu'elle jouissait, au sein de ses hantises, oui, si ce n'était pas à son propre Minotaure qu'elle aimait, par-dessus tout, se sacrifier, tout à la fois Ariane et Thésée, Dédale et Pasiphaé, aurais-je pu lui suggérer si elle avait été sensible aux mythes grecs ou que j'eusse alors compris que l'ironie était le mode d'être de Rebecca.

J'ai eu beau me livrer devant elle à une impitoyable critique de mes pages, Rebecca me regardait en souriant, sans m'apporter le démenti que j'espérais, au moins sur ce plan-là, car elle s'était de nouveau emparée de mes doigts, les mêlant aux siens, toujours aussi froids, comme si elle sortait des eaux de la nuit, avais-je envie de lui dire, m'en remettant dès lors non pas à la certitude d'un proche bonheur (celui-ci m'inquiétait, plutôt, comme une menace ou une imposture, car trop facile, ce que les Français appellent les dernières faveurs n'étant pour Rebecca, me semblait-il, qu'un espoir insensé, un geste aussi insignifiant qu'un rire ou un chant murmuré pour soi seul, me laisserait-elle entendre), mais à ce qui me préoccupait autant qu'elle, imaginais-je, puisque nous écrivions tous les deux, et dans une langue étrangère, ce qui n'était en réalité qu'un de ses soucis, et non le plus important, comprendrais-je bientôt à la façon dont elle se taisait à propos de la littérature — ses goûts littéraires allant de Laurence Sterne à Duras, et de Kierkegaard à Blanchot et à quelques romanciers contemporains dont elle achetait les romans pour leur seul titre mais dont elle était incapable de retenir le nom, à l'exception de Richard Brautigan, dont elle aimait beaucoup *La Pêche à la truite en Amérique*, apprendrais-je peu à peu, sans qu'il m'ait été donné une seule fois de parler avec elle de littérature, en général, encore moins de ce que nous écrivions, Rebecca préférant parler d'elle et n'étant sans doute pas capable d'autre chose, comme elle le faisait dans son récit ou dans ce qu'elle disait, deux fois par semaine, à un psychanalyste dont elle prétendait qu'il était aussi bizarre qu'elle, en ce sens qu'il la persuadait, d'une façon aussi perverse qu'onéreuse, de l'inutilité de la psychanalyse, à croire, même, que c'était elle qui était en position d'analyste puisque vouée à écouter son silence.

Elle s'exprimait par à-coups, à la manière du vent tiède qui soufflait sur Paris, ce soir-là, surtout entre les quais, et qui dispersait nos mots sur le fleuve comme il le faisait des voix monstrueusement amplifiées des guides de bateaux-mouches et des cris de touristes saluant les passants accoudés aux parapets, avec cette vulgarité bruyante propre à tout groupe qui manifeste sa joie d'être nombreux. Si cette joie était obscène, alors qu'elle aurait dû rester discrète, voire secrète, il y avait quelque chose de beau dans la violente lumière des projecteurs où s'inversait provisoirement l'ordre de la nuit et du jour, murmurait Rebecca, ajoutant que c'était beau parce que indescriptible.

« Oui, comme tout ce qui échappe à la littérature.

— Tout échappe à la littérature, d'une certaine façon... », a-t-elle répondu d'une voix plus haute, sans me laisser dire que c'était peut-être nous qui manquions à la littérature, qui n'en étions pas dignes, car trop encombrés de nous-mêmes, donc inaptes, peut-être, à entrer dans la voie de l'écriture, n'ayant pas encore admis que la littérature n'est rien d'autre que ce qui s'échappe à soi dans le fait même d'écrire.

Nous avions suivi le chemin habituel. Je m'en étonnais : nous n'étions ni des amis ni des amants, Rebecca faisait de sa vie un perpétuel sacrifice, et j'ignorais encore que les amants sont des êtres superstitieux, qui obéissent à des principes aussi rigoureux et routiniers que les religieux et les militaires. Nous étions arrivés sur la place de l'Institut de France dont la coupole était illuminée de l'intérieur, ce soir-là, un jeudi, je m'en souviens, comme s'il s'y déroulait une cérémonie secrète, a encore dit Rebecca, à qui j'ai répondu que c'était plutôt une cérémonie funèbre, les Académiciens, qu'on appelle aussi les Immortels, faisant peut-être ce soir-là accéder un nouveau venu à l'immortalité, donc à la mort, puisque l'immortalité suppose l'expérience de la mort et d'une nouvelle naissance, faute de quoi elle serait une figure de l'enfer où nous désirerions plus que tout mourir définitivement.

« Les Français aiment les traditions, les rites, les cérémonies funéraires, les morts. C'est leur manière d'être graves, sous leurs apparences frivoles ou indisciplinées. Ils sont des espèces de défunts, des fantômes qui hantent leur ancienne gloire. N'appellent-ils pas en peinture "nature morte" ce que nous nommons *still life*? ai-je encore dit.

— Oui, des morts-vivants... »

Et elle m'a serré le bras, le visage tourné vers la coupole comme pour guetter les échos d'une messe de requiem, soudain inquiète, me pressant de poursuivre notre chemin, me laissant découvrir que la mort la hantait extraordinairement, tandis que je lui faisais traverser la chaussée pour la mener vers la statue d'Henri IV, au même endroit que la semaine précédente, là où j'étais passé, quelques semaines plus tôt, et où j'avais assisté à une messe traditionaliste, devant la statue, les prêtres et les fidèles agenouillés sur le pavé, sans paraître souffrir le moins du monde de la pluie qui tombait à verse sur eux, sur les croix et sur les étendards sacrés, incapable de m'agenouiller à leurs côtés mais persuadé que ma mère l'aurait fait, elle, et qu'elle se serait indignée de voir les touristes photographier la cérémonie comme s'il s'agissait d'un spectacle du gai Paris.

« Des morts-vivants, oui. Mais sommes-nous bien sûrs d'être en vie, Rebecca ? Et ne suis-je pas en droit de m'en remettre à l'éternité promise par le Christ, moi qui suis catholique ? »

Le regard qu'elle a posé sur moi m'a renvoyé aux confins de la nuit : Rebecca était la proie d'une terreur presque obscène qui l'a jetée contre moi avec la volonté de ne plus parler. J'avais ses cheveux sous mes lèvres. Ils sentaient la sueur crânienne. J'aurais aimé dire quelque chose de léger, sortir du cercle nocturne où nous étions prisonniers, assurer Rebecca que je n'étais pas un de ces morts-vivants : ma langue n'était plus qu'une feuille de platane alourdie par la pluie. Oui, j'avais ce goût amer de platane dans la bouche, avec celui de l'automne et de ma misère sexuelle, pensais-je en me disant que Rebecca m'échappait, que j'avais trop parlé, que je m'étais même montré lyrique, donc sentimental et ridicule.

« On n'épuise pas un vagin ! Et puis vous n'écrivez pas non plus comme un Français, dans l'ombre de ce grand roi sur son cheval de gloire, là, derrière nous, et qui semble nous enjoindre de nous dresser dans la langue française pour devenir immortels, nous aussi, alors que nous savons que nous allons mourir, qu'écrire ne tend à rien d'autre qu'à trouver dans la langue une manière de mourir... », a-t-elle déclaré, la voix plus froide que jamais, en me regardant comme si elle craignait de ne pas être prise au sérieux ou que la grande ombre de Maurice Blanchot, comme elle disait, n'enténèbre ses propos.

La langue française nous obligeait à être solennels, grandiloquents, obscurs, excessifs, un peu comme des gens qui vivent au-dessus de leurs moyens et ne savent pas se tenir en société. Je n'avais pas lu Blanchot et, malgré la crainte de déplaire à Rebecca, je considérais le fait d'écrire comme une façon de vivre plus digne et plus intéressante que bien d'autres, à l'exception de l'amour véritable, qui me paraissait plus haut encore que le fait d'accomplir une œuvre. Je souriais. Un homme qui sourit à une femme en proie à quelque chose qui la dépasse a l'air extraordinairement bête. Le désir aussi peut rendre niais, servile, ou lâche, surtout quand la femme convoitée semble ne pas obéir au même registre amoureux que le nôtre. Le visage de Rebecca avait l'air dévoré par des ombres qui n'étaient pas celles de la nuit parisienne — laquelle n'est jamais obscure, alors que celle de Butte, à cause du ciel démesurément ouvert et traversé de vents puissants, paraît avaler la lumière de ses réverbères pour la restituer à la nuit primitive.

Je me suis mis à parler de la nuit et de mon père qui,

lorsque j'étais enfant, m'emmenait loin de Butte, au crépuscule, dans le pick-up Chevy 65, sa vieille Winchester .30-30 à la main, son treeing walker en laisse, aimant par-dessus tout ces chiens qui débusquent les ratons laveurs, la chasse étant toujours ouverte pour lui : la vraie chasse, ce cheminement vers la bête où l'on finit par oublier la proie, la bête et l'homme ne faisant plus qu'un dans une commisération réciproque, et non pas cette chasse où les humains sont soit des chasseurs, soit des proies, disait-il mystérieusement après avoir ouvert une canette de Miller High Life dont il buvait une longue gorgée avant de roter dans la nuit laiteuse qui était tombée sur des étendues où la voix humaine avait bien moins d'importance que le brame des cerfs, le feulement des lynx ou le cri des coyotes. Alors il me parlait de ce qui est entre nos jambes et qui relie l'homme à l'univers, et l'empêche de s'attacher vraiment à aucune femme, au contraire des femmes, qui cherchent, elles, le mâle définitif, le mari : un animal empaillé. Je l'écoutais avec une sorte d'effroi. Il me faisait horreur. Il sentait le tabac et la bière, quelquefois le parfum d'une poule, et il cherchait à justifier devant moi ses fautes, comme les appelait ma mère qui ne se doutait pas que la question de la faute entrait en moi comme une de ces pointes de flèche indienne en pierre que nous découvrions dans les collines. Je comprenais surtout que mon père allait nous quitter. La nuit se déchirait, et ne faisait place à aucun jour. Je marchais en moi-même. Je commençais à errer dans les rots de mon père.

« On erre surtout dans son propre sang », a dit Rebecca que j'ai raccompagnée, une nouvelle fois, jusqu'à sa porte, cette haute porte verte devant laquelle elle m'a regardé fixement, avec l'air de me chercher dans ma nuit ou dans mon sang, avant de m'attirer à elle par le col de ma veste pour m'effleurer les lèvres non pas avec les siennes mais avec son souffle qui était, je le remarquais une nouvelle fois, un peu âcre — celui des gens que l'angoisse tenaille, qui digèrent médiocrement ou dont le sang circule mal, mon père m'ayant même expliqué que les femmes qui ont leurs règles ont mauvaise haleine, genre d'affirmations que, sans les prendre pour argent comptant, on laisse traîner dans son esprit parce qu'elles viennent du père et qu'elles concernent le domaine où il nous a précédés et où il ne cesse de nous tenir en joue, pour peu qu'il ne nous sacrifie pas sur le ventre des femmes, toutes les femmes, y compris celles que nous prétendons posséder, nous autres fils, pensais-je après que Rebecca m'eut quitté en répétant que sa chambre était décidément trop en bordel pour m'y accueillir, à supposer que ce désordre existât et qu'il ne fût pas surtout celui de son corps et de son esprit.

4

Je ne lui avais pas, pour autant, proposé d'aller dans ma chambre, rue Gay-Lussac : c'eût été une erreur, je le sentais, même si j'ignorais que les femmes décident de tout, dans le domaine amoureux, comme sans doute dans beaucoup d'autres. Peut-être me mentais-je aussi un peu. Je songeais au désordre qui régnait chez Rebecca — dans son existence comme dans son sang, imaginais-je, et je n'étais pas certain de la désirer vraiment, du moins pas comme j'avais désiré certaines femmes : dans cette immédiateté, cette évidence du désir qui est une des plus pures lois de l'amour et où je n'arrivais pourtant pas à me représenter mon père, dont l'exemple m'indignait si fort que je demeurais presque étranger à l'idée que le désir, à quoi je ne cédais qu'en désespoir de cause, puisse relever de la pureté. J'avais beau n'avoir pas connu de vrai bonheur sexuel, depuis mon arrivée à Paris, quelques mois auparavant, je ne voulais pas précipiter les choses, malgré le don que Rebecca m'avait fait de son souffle ; et puis j'étais trop familier de la pornographie pour ne pas comprendre que ce souffle était plus précieux que le don de ses seins ou de son sexe. Et peut-être ne me désirait-elle pas vraiment ; ou bien je manquais d'audace, plaçant, comme tant d'hommes, les femmes trop haut, ou plus bas qu'elles ne sont : les estimer à leur juste mesure est un travail de mystagogue, et de toute une vie ; et encore la plupart y échouent, même les vrais amoureux. La vie n'est rien d'autre que l'histoire de cet échec. Et je n'écris sans doute que pour y voir plus clair dans ce que Rebecca appelait mon sang, et mon père le destin, tandis que ma mère parlait, elle, de damnation, d'espérance, de rachat, de salut.

Si donc je désirais Rebecca, c'était en dehors de moi-même et sans doute d'elle, aussi, dans une extériorité où elle m'enchantait de ne pas m'obliger à l'aimer, ni même de la désirer vraiment. Cette incertitude du désir, je n'osais me l'avouer : j'aurais d'emblée cessé de voir Rebecca. Je songeais pourtant souvent à elle. Son visage immobile ne me plaisait que médiocrement ; son regard m'inquiétait ; sa taille courtaude et les petits pas qu'elle faisait en marchant ressemblaient à ceux d'une Indienne, comme la demi-Sioux de mon père, laquelle était pour moi une figure de la damnation. Je ne voulais plus penser à mon père. Je songeais aux seins de Rebecca, probablement splendides, me disais-je en remontant le boulevard Saint-Michel sur lequel un groupe de la secte Hare Krishna avançait en chantant, la tête rase des femmes me rappelant celle de ma mère, pendant sa chimiothérapie, et m'indignant encore plus de voir des femmes se damner de la sorte, loin de la vraie religion.

J'aurais pu les tuer, songeais-je. Je me suis demandé si je n'étais pas un criminel, ou un silencieux bouffon. Mon sang me tourmentait comme celui d'un héros de roman russe. Ce que j'appelle mon sang, c'est aussi bien mon esprit. J'étais sans doute malade, et Rebecca me renvoyait à cette maladie, avant de peut-être devenir, elle, le grand symptôme de cette maladie. J'avais besoin de boire. Mon père m'avait appris à tenir l'alcool.

« Le whisky, comme les femmes, ne peut donner plus que ce qu'on lui demande ; mais lui, il donne vraiment ce qu'il donne », disait-il.

Paroles demeurées mystérieuses pour moi qui n'ai pas, quoi que j'en dise, de jugement arrêté sur les femmes — et qui n'en pense rien de différent de ce qu'avancent la plupart des hommes et sans doute des femmes, à ceci près que ce qui sépare les deux sexes me semble un abîme dans lequel je ne cesse de choir, depuis longtemps convaincu (pensée impie) que certains êtres sont voués à disparaître dans la ténèbre sexuelle, comme damnés par l'amour.

Je me suis arrêté à la brasserie Le Luxembourg, où j'ai bu d'une bière belge assez forte en regardant jaillir les eaux de la fontaine qui marque le milieu de la place Edmond-Rostand, me demandant qui était Edmond Rostand, pariant pour un politique ou un révolutionnaire, interrogeant le garçon de café qui n'en savait rien et qui est allé le demander au gérant, lequel m'a fait savoir que c'était un écrivain.

Je me demandais si je pouvais avoir l'air d'un écrivain français, avec mes cheveux d'un blond mat, presque châtain, et mes yeux marron clair. Je n'avais rien de remarquable. Au moins laissais-je en suspens ce que j'étais, savourant ma bière et me rappelant ma rencontre, en ce même lieu, avec Pascal Bugeaud, où l'écrivain dînait en compagnie d'une jeune femme aux yeux verts dont le visage m'attirait non seulement pour sa beauté mais aussi parce qu'il réunissait toutes les qualités que j'imaginais à la beauté française, dans sa plastique comme dans son maintien et dans l'amoureuse ironie dont cette femme faisait preuve envers Bugeaud comme à l'égard de la vie, en général, l'ironie signalant ici non le désespoir d'une Rebecca mais l'impeccable maîtrise de soi que donne le bonheur ou, plutôt, la saine distance qu'on entretient avec l'idée de bonheur.

Je ne comprenais pas tout ce qu'ils se disaient : assis à la table voisine, ils s'exprimaient dans un haut niveau de langue, plein d'absconses allusions à la littérature du XVIIᵉ siècle, à la *Messe en si* de Bach, à la guerre civile libanaise, au milieu littéraire français dont ils soulignaient la médiocrité en donnant des noms qui, dans leur bouche, avaient pour moi la sonorité de noms de chiens, de chevaux ou de clowns, tandis que, non loin, pérorait un vieil Haïtien entouré de compatriotes plus jeunes qui écoutaient cette voix graillonnante et haut perchée discourir à propos des impasses politiques de la république haïtienne, première république noire de l'Histoire et éternelle esclave de dictateurs, dans un français non moins beau que celui de Bugeaud et de sa compagne. J'avais fini par me laisser bercer par la seule musicalité de la langue, les yeux toujours attachés à la jolie femme dont j'aimais aussi le chemisier en soie vert émeraude, assez ouvert sur un cou nettement souligné par un collier de perles et des seins qu'on devinait petits mais beaux. Elle n'ignorait pas que je la regardais et elle en a sans doute parlé à son interlocuteur, puisque celui-ci s'est retourné vers moi pour me demander, d'une façon presque agressive, si je désirais prendre part à la conversation. Je n'ai pas tout de suite compris ce qu'il me demandait. J'étais un peu ivre. Je souriais. J'ai rougi. J'ai répondu que j'étais désolé de les avoir importunés, mais que j'étais américain et que toute allusion à la littérature ne pouvait que retenir mon attention.

« Et puis vous parliez du Liban, d'où viennent des fiancées et les rêves », ai-je cru bon d'ajouter.

Bugeaud s'est détendu. Il avait, somme toute, l'air d'un homme doux, bien qu'il eût combattu au Liban, aux côtés des chrétiens, bien des années plus tôt, me dirait la jeune femme, un peu plus tard. « Voilà un homme qui a tué autre chose que des cerfs et des chevreuils », pensais-je en me rappelant la fierté de mon père, et la mienne, quand nous rentrions des montagnes avec une bête morte à l'arrière du pick-up. Mon père avait combattu au Vietnam où il avait été très tôt blessé, et il retrouvait les Viets dans les animaux et les étendues sauvages, avant que sa propre existence tout entière ne devienne un Vietnam. C'étaient aussi des hommes qu'avait combattus cet écrivain dont je comprendrais, en consultant Internet, qu'il jouissait d'une détestation quasi unanime dans le monde littéraire français. Il buvait beaucoup ; sa compagne n'était pas en reste. La nuit était calme. La jeune femme semblait heureuse. On sentait qu'elle n'appartenait pas au même monde que Bugeaud, lequel paraissait n'être pas tout à fait sorti de l'univers rural où il avait vu le jour et qu'il a évoqué, une fois que j'eus révélé que je venais de Butte, dans le Montana.

« Vous écrivez ? » m'a demandé Bugeaud avec la brusquerie d'un médecin qui s'enquiert des mauvaises habitudes ou des vices d'un jeune patient.

Dire que j'étais écrivain m'aurait paru excessif. Ne pas le reconnaître un mensonge. Je me suis tu, la tête légèrement baissée : écrire relevait soudain d'une forme de culpabilité, voire d'une déchéance qui donnait raison à mon père, lequel m'avait prédit la misère et l'humiliation lorsque j'avais refusé de devenir technicien en informatique pour me consacrer à la littérature, domaine dont il doutait comme d'autres de la divinité du Christ ou des attentats du 11 septembre 2001. Bugeaud a murmuré quelque chose dans une langue inconnue, avant de se lever pour aller aux toilettes.

« Il est toujours comme ça, quand il est las ou qu'il a trop bu : il se met à parler en arabe ou en patois limousin. C'est un ours. Bien plus raffiné qu'il n'en a l'air, pourtant. Plus désespéré, aussi », m'a dit la jeune femme à qui j'ai demandé ce que c'était que le Limousin. Elle a ri, m'expliquant que cette région est un peu à la France ce que le Montana est aux États-Unis, et que ce nom a donné le mot de limousine, le véhicule, et aussi une belle race de vaches dont Bugeaud, remonté des toilettes, a parlé à son tour comme s'il s'agissait d'animaux sacrés. Il m'a ensuite demandé d'évoquer Butte, que j'ai décrit comme je l'ai pu, incapable d'en donner une image convaincante : c'était pour moi une terre vierge, qu'aucun écrivain n'avait encore fait accéder à la dignité littéraire, et qui s'enfonçait dans son nom français.

« En somme, Butte attend son Faulkner.

— J'aimerais écrire en français, ai-je bredouillé en rougissant.

— Une langue qui n'intéresse plus personne...

— Je suis né dans un nom français. »

Et je riais. J'étais presque soûl. Il me fallait manger quelque chose. J'ai commandé un sandwich. Je n'osais pas descendre uriner. J'ai fini par dire que j'écrivais de la poésie, des nouvelles, des textes brefs et inclassables, que j'étais venu en France pour écrire, mais que ma bourse touchait à sa fin et qu'il me faudrait regagner Butte, la maison de ma mère, chercher du travail, aller prier Notre-Dame des Rocheuses, lutter contre un ennui plus profond que les puits de mine. C'est alors que la jeune femme a demandé à Bugeaud s'il ne pouvait rien pour moi.

« Aider un écrivain, surtout un débutant ? Il me plantera un couteau dans le dos, si je le fais. Et si je ne fais rien, ce couteau rôdera éternellement entre lui et moi », a-t-il dit en feignant l'agacement puis me demandant mon numéro de téléphone, auquel il m'a joint, quelques jours plus tard, pour me prier de passer rue Corneille, dans les locaux d'une petite maison d'édition où il exerçait la fonction de conseiller littéraire.

C'était un homme seul, comme Rebecca, comme moi ; et sa solitude l'amenait à être généreux, quelquefois, surtout avec les femmes, les seuls êtres qui le retenaient à Paris, lui qui ne supportait plus ce qu'on appelle *les gens*, surtout en grand nombre et pour la plupart abrutis par la sous-culture américaine et la déchristianisation, outre qu'il est difficile de vivre dans la capitale d'une civilisation moribonde, Bugeaud détestant Paris, qui est selon lui une ville vulgaire, racoleuse, agressive, muséifiée. Il m'a proposé de lire des ouvrages écrits en anglais, peut-être d'en traduire un. Le peu que je gagnerais me permettrait de vivre à Paris quelque temps encore. J'imagine que j'intéressais Bugeaud parce que, souhaitant écrire en français, au moins un livre, je constituais un contre-exemple au sein de la mondialisation anglophone qu'il dénonçait comme une œuvre de mort. C'était aussi pourquoi, regrettant la décision négative de l'éditeur, il me dirait du bien du récit de Rebecca que j'ai fini par lui présenter, un soir, dans le café de la rue de Vaugirard où il était entré avec une autre femme que celle du Luxembourg : une jeune comédienne, très belle et très brune, au regard vif, au maintien altier, cependant dépourvue d'arrogance.

Rebecca est restée muette. Je comprendrais bientôt qu'elle n'avait jamais entretenu de bonnes relations avec les femmes, à l'exception de sa grand-mère maternelle et d'une amie d'enfance, une Danoise avec qui elle aimait parler de ce qui les séparait, à présent, et surtout de ce qui la séparait, elle, Rebecca, des gens ordinaires, encore qu'elle fût peu farouche d'abord, ou plutôt amène, pour ne pas laisser entendre qu'elle était une fille facile.

Bugeaud a ri ; je me suis rendu compte que je n'aimais pas son rire : on aurait dit qu'il se moquait du monde. Il a déclaré que seuls comptent les écrits ; puis il nous a laissés. La comédienne a fait une sortie un peu ostentatoire, lui pinçant le bras, lui effleurant les lèvres, le tirant vers la nuit où, disait-elle, ils allaient se perdre.

La nuit nous sauverait, nous, ai-je pensé.

« Je ne sais pas être moi-même dès qu'il faut ouvrir la bouche. Je devrais m'en tenir à mon corps. Il parle pour moi. »

Elle ajoutait que le sentiment de paraître une idiote avait néanmoins quelque chose de reposant.

Elle disait encore qu'elle est une inconnue, l'absente de toute vie d'homme, celle dont nul ne se soucie vraiment et à travers qui on passe sans la voir, la désirer revenant à l'oublier, paradoxe qu'elle aimait plus que tout — et que je trouvais cependant presque aussi excessif que la *sortie* de la jeune comédienne, ce qui me laissait penser que les femmes qui fréquentent les artistes ne sont jamais simples (« Quelle femme l'est ! Même votre mère, malgré tout le respect que je lui dois, n'est pas simple. Peut-être ne cherchons-nous que ça : une simplicité qui tienne lieu d'innocence... », me lancerait Bugeaud quand je regretterais devant lui de n'avoir pas encore rencontré une femme sans ombre).

5

C'est donc à Bugeaud que je dois d'avoir rencontré Rebecca, indirectement, c'est vrai, et d'écrire ce récit en français, sans savoir si je pourrai aller jusqu'au bout, conscient d'écrire dans une langue littérairement difficile et, pour moi, artificielle, en outre influencé par le style de Bugeaud, lequel a quelque chose d'un arbre qui prend feu dans le crépuscule, ce qui voue mon travail à l'échec et me fait craindre de n'écrire ces pages que pour me trouver une raison supplémentaire de ne pas vivre.

Au moins, j'échappais provisoirement à moi-même et à ce que j'avais été, dans le Montana, entre une mère qui opposait la prière à la pierre qu'elle devenait à force de souffrir (une pierre sur laquelle on ne dresserait rien, pas même la croix d'un des larrons, murmurait-elle) et un père que la fermeture des mines faisait peu à peu retourner à l'état sauvage, avec sa squaw, comme l'appelait ma mère en ajoutant que toute femme est soit une squaw, soit une cancéreuse, les unes et les autres damnées par le pouvoir masculin comme la colline de Butte par ce qu'on a tiré de ses entrailles.

« Je suis donc une squaw ! » m'a dit Rebecca à qui j'avais rapporté ces propos, lors de notre troisième rencontre, et qui ne m'avait pas répondu quand je lui avais demandé comment elle allait — question pour elle dépourvue de sens puisqu'elle n'allait jamais bien, le mal dont elle souffrait étant aussi bizarre qu'indéfinissable, m'avait-elle expliqué fermement, soucieuse que je cesse de lui poser ce genre de questions. Ma santé à moi ne l'intéressait pas davantage : elle voyait bien que la mort ne me tirait pas par les cheveux, disait-elle, ce qui lui suffisait pour comprendre que je n'allais pas plus mal qu'elle. Elle n'était cependant pas égoïste, ni uniquement égocentrique : seule l'intéressait la dimension énigmatique, bizarre, sinon cocasse et grinçante du destin — de quoi elle riait autant qu'elle s'en effrayait, redoutant particulièrement, comme nous ne parlions que français, de se tromper et que le destin ne prenne le travers d'un solécisme ou d'un faux sens.

« Le destin, pour peu qu'on l'invoque avec des fautes de grammaire, est une grimace du Démon », affirmait-elle.

Je souriais, lui touchais la main droite, lui demandais de nouveau comment elle allait, car je trouvais que les formes et les rites, même les plus insignifiants, nous empêchent de sombrer en nous-mêmes.

« Les formes ne guérissent de rien ; elles tiennent les démons à distance, et c'est déjà beaucoup », ajoutais-je, moi qui avais vite haï le laisser-aller de mon père, lequel lâchait des vents en présence de ma mère, par exemple, rotait devant moi, pissait dans la gueule des coyotes qu'il avait tués, et déféquait triomphalement, comme s'il donnait naissance au monde.

« Comme vous êtes sentimental, mon cher Sebastian ! Mais j'aime votre respect des langues... »

Des fautes de français, elle en commettait, cependant, outre ce qu'elle ne percevait pas comme de l'argot ; elle disait : « il faut mieux » pour « il vaut mieux », « de telle façon à ce que » pour « de telle façon que », ou employait le subjonctif avec la locution après que ou avec le verbe espérer, et « malgré que » ne lui semblait pas plus fautif qu'à André Gide... Et elle n'en était pas pour autant plus laide.

D'une manière plus générale, le laisser-aller américain m'agaçait, quand il ne me faisait pas honte. Chaque peuple a sa vulgarité, comme tout groupe humain, mais les Américains plus que d'autres, car ils prétendent réduire le monde à une démocratie linguistique qui est en réalité un mouroir littéraire, selon Bugeaud avec qui Rebecca, toute squaw qu'elle se prétendait, se trouvait d'accord.

« C'est plus un ennemi du genre humain qu'un cynique. C'est pourquoi il est drôle... », me disait-elle à son sujet, ce qui eût été près de me faire entrer dans le premier cercle de la jalousie, si je n'avais su qu'elle voyait d'autres hommes dans le temps même où se nouait notre histoire.

Je revenais donc à la charge, la sachant, comme moi, très dépendante de la couleur du ciel, et lui disais que son humeur, sa santé m'importaient plus que tout.

« Je ne vais ni bien ni mal, en fin de compte, mais je

sais que j'irais vraiment mal si je devais vivre à Tampa, en Floride, auprès de ma mère, ou encore retourner à Aalborg pour plus de trois jours », a-t-elle fini par dire, presque étonnée de ses mots et sans doute un peu moqueuse, sa façon de prononcer le français lui donnant une gravité aussi excessive que le rire par lequel elle prétendait s'en corriger. Puis-je avouer ici que, répétée chaque fois que nous nous retrouvions, parce qu'il faut bien commencer par quelque chose et que s'enquérir de la santé de quelqu'un qu'on revoit me semble tout naturel, cette entrée en matière avait fini par m'agacer un peu, comme tout ce qui relève d'une coquetterie névrotique et devient aussi gênant qu'un défaut physique? Une manie qui me rappelait que Rebecca était une femme étrange, et d'une étrangeté qui avait hauteur de forteresse, toute disposée qu'elle était à se donner à moi, sentais-je, ce qui explique peut-être pourquoi je ne la désirais pas comme j'avais pu désirer l'étudiante libanaise, quelques semaines plus tôt. Sans être soumise ni amoureuse, elle pouvait se donner sans arrière-pensée, devinais-je à sa façon de parler, de rire, de regarder par à-coups, tandis que je me demandais si je ne la désirais pas malgré moi, sinon malgré elle.

« Une squaw, vraiment?
— Oui! »
Elle n'avait rien ajouté. Son regard était plus immobile que jamais. Rebecca était une métisse : je ne pouvais insister davantage. À ce moment, elle aurait aussi bien pu me dire que toute femme est à soi-même un abîme dans

lequel elle ne cesse de choir. Elle souriait d'une manière que j'ai essayé de comprendre en lui caressant les lèvres, où son sourire ne s'est pas effacé : il semblait aussi figé, aussi froid que ses mains, que j'ai prises entre les miennes. Elles étaient là, sur cette table de bistrot, tout comme son corps sur la banquette, parfaitement droit, compact, harmonieux et cependant ailleurs, ce qui lui donnait une présence ambiguë, presque lointaine, et à ses mots une apparence d'herbes et de broussailles d'un autre âge, et procurant à celui qui l'écoutait le sentiment de se trouver sur une autre rive. Je comprenais pourquoi elle tenait à vivre dans une île : l'isolement lui proposait un centre, la place Dauphine devenait une extension de son ventre, Rebecca m'avouant (une autre fois) que j'avais vu juste quand j'avais comparé la place à un vagin, ce qui l'avait beaucoup troublée, tout comme la carte postale que je lui avais envoyée et dont elle me parlait, ce soir-là. Je l'avais trouvée, rue Corneille, sur le bureau de Bugeaud, qui me l'avait donnée. Elle représentait un équarrisseur entièrement vêtu de blanc (casque, bottes, vêtement de travail), en train de dépecer au couteau un bœuf sans tête, pendu à une poutrelle de fer, à Ussel, dans le haut Limousin.

« Seule une telle photo pouvait me ramener à vous, disait Rebecca en retirant ses mains des miennes.

— Je vous avais déjà perdue ?

— Je ne sais pas...Vous me faites peur, par moments, la mort vous effraie autant que moi, et je crains d'aimer trop la peur qui est en vous. »

Je n'étais pas certain d'être à ce point terrifié par la mort. C'était plutôt le fait de vivre qui m'inquiétait, ou qui me paraissait sans grande importance, les fureurs et la déchéance de mon père, tout comme la maladie de ma mère et le divorce de mes parents m'ayant même conduit à considérer l'existence comme un lent processus d'abandon, de dégradation même, semblable à celui qui affectait Butte, ma famille, les langues...

« Vous avez quelque chose de cet équarrisseur ! » m'a-t-elle dit gravement.

Cette carte, je la lui avais envoyée parce qu'elle évoquait le *Bœuf écorché* de Rembrandt. S'agissant de moi, je déteste qu'on m'attribue une ressemblance avec qui que ce soit, malgré mon souci de ne pas décevoir ceux qui proposent ces ressemblances que je ne réfute pas — si bien que j'évolue souvent dans les demi-vérités auxquelles nous obligent ceux qui croient tout savoir sur nous et, par exemple, nous lancent, quand nous sommes épuisés ou malheureux, que nous avons une mine splendide, nous interdisant ainsi de les décevoir, ne parlant en réalité que d'eux-mêmes, la sollicitude prenant ainsi le masque de la cruauté.

On jugera que je devrais pardonner à Rebecca son refus de répondre aux questions d'usage sur sa santé ; ce serait oublier que ce refus était une manière d'en venir à des confidences sur soi, donc sur cette même santé, cependant étendue aux dimensions de l'ennui par un monologue interminable qui me ferait songer qu'elle ne se donnait aux hommes que pour être écoutée sans relâche, d'autant qu'elle parlait de façon abstraite, en quête de la formule qui la libérerait, et en cela éminemment artiste, mais ignorant sans doute encore que la formule doit s'incarner, qu'elle devait trouver son corps, qu'elle était ce corps, par la grâce du sexe et de l'esprit, tout ce que l'écriture rassemble dans sa logique injustifiable et cependant nécessaire.

Je n'aime pas davantage les gens qui se rencontrent pour se taire : on dirait qu'ils ont commis un meurtre ensemble ou qu'ayant fait l'amour ils découvrent qu'ils n'ont rien en commun à part la folie qui les a provisoirement rassemblés, chacun finissant même par haïr l'autre de lui donner l'allure d'un criminel. D'une manière générale, j'étais las des énigmes ou des vérités qui demeurent au bord des lèvres. Je désirais une simplicité qui n'était sans doute pas de ce monde. Il fallait secouer les voiles de la nuit. J'ai dit à Rebecca qu'elle avait de beaux seins. Elle n'a pas souri. Ses paupières n'ont pas cillé. Elle ne paraissait pas émue de ce que je venais de dire. Elle accueillait la vérité dans le calme de la raison, au plus près de l'indifférence qui était pour elle une atténuation de la splendeur que Thomas d'Aquin prête à la vérité.

Ces seins étaient en effet splendides ; ils constituaient donc une vérité en eux-mêmes, comme je le verrais, le même soir, dans cette chambre où elle a fini par me faire monter, après un dîner dans un restaurant chinois de la rue Perrault où elle m'avait emmené et où je savais que Bugeaud rencontrait quelquefois un de ses compatriotes limousins, Philippe Feuillie, un altiste célèbre et l'amant d'une femme aussi singulière que Rebecca. Bugeaud ne s'y trouvait pas, ce soir-là, et j'ignorais si j'en étais heureux ou dépité, ou si je ne commençais pas à nourrir à son endroit un sentiment que je ne savais pas encore reconnaître pour de la jalousie, moi qui m'étais toujours tenu à la lisière de l'amour et n'étais pas préparé à recevoir cette pointe de flèche.

Rebecca aimait les restaurants chinois, japonais, libanais, indiens, et bien sûr les français — tout ce qui pouvait lui faire oublier l'univers d'Aalborg, au Danemark, et le passage du temps, et qui explique pourquoi elle mangeait si lentement, parlant plus qu'elle ne mangeait, et sans jamais venir à bout de ses plats, lesquels étaient immanquablement froids, et qu'elle n'osait pas demander qu'on réchauffe, arguant que sa parole l'avait conduite au-delà de ce qu'un vivant peut accepter, qu'elle était épuisée, comme morte, et que les morts, sauf ceux de l'ancienne Égypte, ne mangent pas.

J'avais voulu l'emmener dans un restaurant néozélandais. Il n'en existait pas. Elle m'avait d'ailleurs déclaré n'avoir rien de néo-zélandais, et ne souhaitait pas être assignée à une identité aussi lointaine, même si elle ressemblait à une Asiatique et que la Nouvelle-Zélande n'avait produit que deux personnes remarquables — deux femmes : Katherine Mansfield et Kiri Te Kanawa. Quant à elle, elle était Rebecca Mortensen : une jeune femme qui avait une peur panique de la mort. Évoquer ce qu'elle avait de néo-zélandais, de danois, d'américain, c'était parler de l'origine, donc de la mort. Le pays de sa mère lui faisait peur ; elle ne parlait pas le maori et ne s'intéressait pas plus à cette culture qu'à celle de l'Abkhazie ou du Bhoutan. Elle ne se voulait rien, n'était d'ailleurs rien, pas même un écrivain, puisqu'elle n'avait rien publié, et qu'elle ne pouvait pas encore se prétendre une astrophysicienne.

« Non, rien... Une jeune femme qui a vu très tôt trop de choses.

— Lesquelles ?

— L'antimatière humaine. »

Une réponse facile, mais dont elle riait franchement, comme si le vin non seulement lui déliait la langue mais lui rendait la faculté de rire, cela même qu'elle gardait au plus profond d'elle, là où la voix semble prête à se briser en sanglots ou en cris, ce rire dût-il être une sorte de lamentation, pensais-je pendant qu'elle me prenait le bras, pour la première fois, sans doute pour m'empêcher de la questionner davantage à propos de l'antimatière humaine, sur la place Dauphine où nous avions fini par arriver, une fois encore.

Elle me regardait comme s'il lui était devenu indifférent que je monte avec elle ou que je la plante devant sa porte. Elle a murmuré que sa chambre était toujours en désordre et qu'elle n'était pas digne de m'y recevoir, ses mots évoquant ceux que psalmodiait ma mère, à l'église, ou à la maison : « Seigneur, je ne suis pas digne de te recevoir mais dis seulement une parole et je serai guérie », et qui me revenaient d'une façon qui n'avait rien d'impie, malgré le contexte : je les avais toujours entendus, sans les comprendre vraiment, comme tout ce qui relève de la Loi, mais je les respectais, moi, homme de peu de foi, et néanmoins craintif, semblable pour le coup à tant de jeunes gens de ma génération, qui croient sans avoir vraiment la foi, par superstition plus que par vrai souci de la vérité du Christ, au grand dam de ma mère, et aussi de mon père, lequel était baptiste, quoiqu'il ne se souciât plus de rien et vécût dans un désordre assez semblable à celui de la chambre où j'ai pénétré, ce soir-là, après que Rebecca m'eut fait passer la lourde porte de l'immeuble en me tirant par le col de la chemise, en un de ces gestes pleins de la pudeur fantaisiste propre aux femmes qui attirent un homme dans leur lit.

La chambre se trouvait au dernier étage. Je montais derrière Rebecca avec le sentiment que je serais tout à la fois guéri et damné. On gravissait une par une les marches assez raides d'un escalier de bois qui sentait ce que sentent la plupart des vieux escaliers parisiens : ce renfermé qui est, avais-je deviné en lisant Balzac, à Butte, un puissant ferment romanesque, celui de l'insupportable concentration de la vie humaine que les écrivains français ont depuis longtemps renoncé à distiller. Je n'en étais pas davantage capable ; ç'aurait pourtant été un bon exercice : après ma tentative ratée d'épuisement de la place Dauphine, j'aurais dû essayer d'épuiser l'odeur de cet escalier et ce qu'elle révélait, et dans quoi Rebecca semblait s'inscrire comme en un milieu naturel. Non qu'elle sentît le renfermé : elle ne sentait rien, à proprement parler, comme tant d'Asiatiques, et elle portait rarement du parfum, quoiqu'une des premières choses que j'ai vues chez elle, sur l'imposante cheminée de marbre, soit une collection de flacons, offerts par des amants — ce mot-là sonnant dans sa bouche avec une ironique gourmandise, quelquefois comme un constat fataliste. Je note cela sans être persuadé que ce ne fût pas là de la gourmandise dégoûtée d'elle-même : la rhétorique échoue devant Rebecca, même par le paradoxe.

Allons donc plus loin et parlons de damnation résignée, de résignation à la fatalité du corps et à ce qui tient le corps à distance de l'esprit. Il me semble que j'écris non pas, comme je l'ai d'abord cru, pour comprendre qui est Rebecca mais, au contraire, pour la rendre à son obscurité, ce qui est la seule manière d'y voir clair en elle.

Elle se tenait debout près de sa porte, au milieu d'un étroit couloir où la minuterie était si mesurée qu'on était obligé d'avancer dans le noir, la plupart du temps, et que, un peu soûl, pour ne pas trébucher, maudissant ces *fucken Frenchies* d'avoir inventé quelque chose d'aussi mesquin que la minuterie, j'avais mis la main sur son épaule, rebondie et ferme. Le désir que ce contact faisait naître en moi m'empêchait d'être l'aveugle qu'on guide, à moins que ce ne fût le contraire et que je voulusse me défaire entièrement de moi en m'en remettant à une femme dont j'étais devenu la proie. Aveugle, je l'étais, certes, mais pas à moi-même : le désir me donnait à voir autre chose que ce que j'avais sous les yeux, même si je cherchais à m'aveugler dans un éblouissement supérieur. La main de Rebecca a frôlé ma joue avant de trouver le déclencheur de la minuterie. Peut-être était-ce dans ma joue qu'elle cherchait la lumière. Elle a ouvert la porte puis s'est tenue sur le seuil comme une prostituée à l'entrée de sa chambre, ai-je pensé un instant, en faisant appel à ma maigre expérience des filles publiques. L'amour des prostituées est un vice ou un art de vivre, et je n'étais, en cette matière, ni vicieux ni artiste : je suis un jeune homme qui n'a d'autre ambition que de ne pas se laisser dominer par ses sens et qui,

81

pour cela, outre la délivrance solitaire, se tient loin de l'amour, quitte à ce que l'illusion d'être amoureux me tienne lieu de sentiment. C'est pourquoi je pouvais aimer Rebecca, qui attendait près de sa porte, très droite et humble, avec, cette fois, quelque chose d'une pénitente. Elle souriait néanmoins. Elle décourageait les comparaisons, étant aussi loin d'une prostituée que de ce qu'on appelle une fille facile : elle se donnait autrement. Le don sexuel de soi est si mystérieux, parfois si déroutant, qu'il arrive qu'on ne veuille pas en bénéficier, ou qu'on se découvre indigne devant celle qui s'offre, la pureté se révélant impossible et l'innocence confrontée à la nécessité sexuelle du mal. Un homme ne peut pas se donner ; il ne peut que se laisser faire, ou dévorer sa proie sans comprendre que c'est lui qui est dévoré par son désir ; d'où son infériorité, sa dimension futile, que même une femme laide ne saurait lui envier. C'est pourquoi je ne me demandais pas si Rebecca était jolie : elle n'était pas tout à fait débarrassée des rondeurs de l'adolescence, qui semblaient occulter sa beauté ; quant à son corps, quand elle n'était pas nue, ni habillée avec les vêtements de prix que je découvrirais pendus dans sa chambre, robes, tailleurs, chapeaux, voilettes, escarpins, il restait prisonnier de formes plutôt courtaudes et de l'indifférence avec laquelle elle regardait le monde. Elle souriait d'un air que je n'oserais dire impénétrable, tant cet adjectif était malheureux, ai-je songé en entrant dans ce qu'elle appelait une chambre mais qui était en réalité un studio partagé entre une étroite cuisine où l'on ne pouvait se tenir que debout, près d'une baignoire sabot, et la chambre proprement dite

— une assez grande pièce qui contenait un lit à une place, une table constituée d'un large plateau posé sur des tréteaux, un fauteuil Voltaire recouvert de velours grenat tout usé, une penderie mobile, une petite bibliothèque, l'ensemble, cuisine et chambre, dans un désordre que je n'ai jamais vu nulle part. J'entretiens avec l'ordre des rapports quasi obsessionnels, ma mère m'ayant très tôt enseigné que le désordre d'une chambre, d'un bureau, d'un lit est le reflet d'une âme malade, vicieuse, imbécile, une manifestation de l'enfer ici-bas, ce que, d'après l'exemple de mon père, j'avais admis sans peine, bien que le désordre paternel fût la manifestation d'une souffrance plus que celle du Mal. Je ne croyais plus tout à fait en ce que disait ma mère ; mais il m'en était resté quelque chose, et c'est le cœur en quelque sorte navré que j'ai pénétré dans la chambre de Rebecca.

« Ne regardez pas ! »

J'étais pourtant obligé de veiller à ne pas poser le pied sur des vêtements, livres, DVD, disques 33 tours, journaux, sacs en plastique, valises, classeurs, feuilles blanches, objets indéfinissables, tout ce que la penderie et la bibliothèque ne pouvaient contenir ou qui en avait débordé pour demeurer par terre avec une négligence qui n'était pas imputable à la seule lassitude : une telle disposition au désordre relevait moins d'un chaos personnel que d'une fréquentation quasi mystique des galaxies, pensais-je comme si je devais chercher des circonstances atténuantes à Rebecca.

« Je n'aurais pas dû vous amener ici... Vous êtes le premier — le seul. »

Elle avait parlé avec une expression de souffrance qui lui plissait le front mais qui n'était pas dépourvue d'ironie, là encore — une ironie qu'elle dirigeait contre elle-même et qui était son élégance la plus manifeste, avec son souci de la langue française, et une façon quasi désespérée de renvoyer son angoisse au fond ténébreux de son existence.

Ce n'était pourtant pas le désordre qui m'incommodait : on pouvait penser qu'elle n'avait pas le temps de ranger, ou qu'elle se laissait déborder par les objets, comme tant de personnes, notamment des scientifiques dont le bon sens populaire soutient justement, depuis la servante de Thrace à propos de Thalès, qu'ils ont la tête dans les étoiles ; c'était l'odeur : un concentré de tout ce que l'escalier suscitait, laissait flotter et monter vers le dernier étage où ce remugle s'épaississait pour régner en maître, trouvant dans la chambre-alambic de Rebecca une qualité d'élixir. J'en avais la nausée. Sans doute l'odeur était-elle moins lourde, moins insidieuse que je ne le dis ; mais j'avais beaucoup bu et je ne supportais pas que cette odeur se rapporte d'une façon ou d'une autre à la femme que je désirais (je n'ose dire que j'aimais), laquelle, après tout, n'avait sans doute pas eu le temps d'aérer, le matin, et supportant, moi, encore moins qu'elle me rappelle celle du mobil-home paternel où la demi-Sioux cuisinait une tambouille qui faisait se demander à ma mère si elle ne concoctait pas un ragoût avec son enfant mort-né. Et elle riait en disant cela : je la trouvais cruelle, insupportable — et vieille. Je refusais de voir combien elle souffrait. En ce temps-là, je n'avais pas assez souffert pour remarquer qu'elle était encore belle et que cette beauté ne lui servirait plus à rien, qu'elle était, même, un des éléments de sa damnation, en tout cas son tombeau.

J'ai demandé à Rebecca d'ouvrir la fenêtre : je ne savais pas encore comment apprivoiser une odeur dont je redoutais qu'elle ne soit l'extension de son odeur intime. Elle est allée entrebâiller celle de la cuisine en m'expliquant que celle de la chambre, une fois ouverte, nous exposerait aux regards des voisins, de l'autre côté de l'espèce de puits sur lequel donnaient, en face, comme sur la droite et sur la gauche, d'autres fenêtres dont l'une, tendue d'un rideau ocre, était celle d'un couple que Rebecca trouvait particulièrement bizarre pour avoir appris de sa propriétaire qu'il s'agissait d'une mère et de son fils, qu'on ne voyait jamais, qui n'ouvraient pas leur fenêtre et ne soulevaient jamais leur rideau, même quand ils ne regardaient pas la télévision, à quoi ils paraissaient passer le plus clair de leur temps, si bien que Rebecca les avait imités, en gardant son propre rideau tiré pour se protéger de ce couple singulier, probablement incestueux, près de la chambre duquel il fallait cependant se rendre pour se servir des toilettes, aucune chambre n'en comportant, ce qui faisait du couple le gardien des ventres, d'autant que sa mitoyenneté avec ces lieux avait fini par leur donner le droit de les singulariser à leur guise, en renforçant la banquette avec du plastique rembourré, de couleur noire, disposant sur une étagère une bougie désodorisante et une pile de magazines féminins non loin de la cuvette, de sorte qu'on ne s'y rendait qu'à regret, presque en intrus, disait Rebecca en me montrant la voie, dans le ténébreux couloir, jusqu'à ces minuscules toilettes au sol recouvert des mêmes tomettes rouges que l'escalier.

Il n'était pas question de fumer. Rebecca vouait au tabac une haine que je comprenais, moi qui cherchais à me défaire de ce vice, mais qui avais espéré combattre l'odeur de renfermé par celle de la cigarette. C'est donc debout sur un minuscule rebord que j'ai fumé, à la fenêtre entrebâillée de la cuisine — une niche en forme de loggia où, incapable de lever la tête vers le ciel, je me suis efforcé de ne pas regarder dans la cour, de peur que la nausée ne s'allie au vertige et ne me fasse choir au fond de ce trou qui évoquait pour moi les puits de mine dont Butte est parsemé et dans lesquels mon père menaçait de me précipiter, enfant, lorsqu'il jugeait que j'avais commis une faute.

Je transpirais. Je frémissais. J'avais décidément trop bu, sans doute mangé avec excès, comme chaque fois que je dîne avec quelqu'un. L'angoisse accroissait à la nausée. J'ai jeté ma cigarette dans le puits. Sur mon épaule, soudain, la main de Rebecca. Elle m'arrachait au puits qui s'ouvrait en moi-même. J'ai fait un pas en arrière. Elle m'a aidé à descendre la hauteur séparant la loggia de la cuisine et qui me semblait une marche d'échafaud. J'ai pu regarder la nuit. J'ai surtout regardé Rebecca qui était une figure de la nuit et qui me contemplait comme si j'avais surgi du puits. C'est ce que je lui ai dit, en m'efforçant de rire, ajoutant un peu bêtement que seule la vérité sort du puits, et que je n'étais pas la vérité, que je détestais les allégories, que la vérité était ce que je recherchais, que celle-ci était unique, et qu'elle,

Rebecca, avait à ce moment-là l'expression de la vérité, quoiqu'elle ne fût pas nue.

« Que voulez-vous dire ?

— J'ai envie de vous. »

Ce n'était pas vraiment une réponse. Je mentais, ou j'exagérais, ou cherchais à me perdre. Mais que dire d'autre ? Ce que j'avais vu de son logis, comme aurait dit Balzac, me procurait le sentiment d'avoir accédé à une chambre secrète qui donnait non pas, comme je l'avais espéré, sur le quai de l'Horloge, c'est-à-dire sur le temps humain, d'après ce que j'avais calculé pendant une montée qui m'avait désorienté, mais sur d'autres toits, un peu plus élevés, en désordre, eux aussi, d'une architecture en quelque sorte hors du temps, et qui faisaient ressembler l'immeuble à une prison de Piranèse au centre de laquelle s'ouvrait le puits, de sorte que Rebecca avait le sentiment de dormir au bord de l'abîme. On comprend mieux pourquoi elle gardait fermé le lourd rideau de velours, la chambre tirant son jour d'une lampe aveuglante posée sur un bureau couvert de livres et de papiers, tout comme le lit, sur lequel était ouvert un ordinateur portatif.

Il régnait là un silence d'autant plus extraordinaire que Rebecca me disait que toutes les chambres étaient occupées, les locataires présents et ce silence (je le vérifierais à chacune de mes visites) rompu, de façon fantomatique, par les seuls pas de gens qui se rendaient aux toilettes.

C'est dans ce silence que j'ai regardé Rebecca ôter ses chaussures de marche — des souliers plats — pour passer de hauts escarpins couleur vert d'eau. Elle s'est assise sur le lit. Je restais debout. J'écoutais le silence. Je cherchais à reprendre mon souffle, à gagner du temps. La lampe m'aveuglait; je me sentais un meurtrier en puissance : Rebecca m'a suggéré de l'éteindre. J'ai allumé celle de la cuisine et tiré légèrement la porte de séparation.

« On n'entend que le battement de son cœur », ai-je chuchoté, une fois dans la pénombre où mes mots avaient néanmoins la hauteur d'un cri de corneille. J'étais cette corneille. Mon bec, mon plumage luisaient dans l'ombre; mes pattes griffaient le plancher. J'aurais pu croasser. Je guettais peut-être un cadavre. La nuit me paraissait interminable.

Rebecca a dit qu'on entendait parfois des voix, étouffées, lointaines, qu'on aurait pu attribuer aux gens qui dînaient aux terrasses des restaurants, place Dauphine, mais qui étaient celles de jeunes femmes noyées dans la Seine, comme l'Inconnue de la Seine, dont elle cherchait une reproduction du masque mortuaire. Elle avait brièvement connu, à son arrivée en France, une femme écrivain, Anne T., dont le visage et la profondeur l'avaient impressionnée, et qui s'était suicidée quelques mois plus tard en se jetant dans la Seine depuis le pont des Arts, le sac à dos lesté de trois pavés.

« Un peu comme Virginia Woolf dans l'Ouse... », a-t-elle ajouté.

Je me taisais, debout au milieu de la chambre, les yeux grands ouverts dans une pénombre où rien ne semblait à sa place, ni intact, ou même identifiable, moi-même tout près de trouver ma présence déplacée, sans identité, incertain de ce que je désirais vraiment, amour, silence ou meurtre, sinon de trop, devant Rebecca qui gardait le regard fixé sur moi d'une manière si peu expressive que j'ai porté le mien sur les moulures du plafond, sur la cheminée surmontée d'un haut miroir un peu piqué, sur les nombreux escarpins et les chapeaux à voilette ou à plumes disposés au plus haut de la bibliothèque, avant d'en revenir à la jeune femme qui évoquait les difficultés qu'elle rencontrait avec son directeur de thèse, un astrophysicien belge qu'elle prétendait fou, et elle non moins damnée d'être tombée sur lui, ce genre de rencontre constituant l'ordinaire de sa vie et, elle, Rebecca, attendant sans doute l'homme qui la délivrerait de ce sortilège ; de quoi je ne pouvais être l'incarnation, semblait-elle penser, assise dans son vieux fauteuil Voltaire qui me faisait songer à celui de Sémione Iakovlévitch, l'ambigu et grotesque *innocent* que va visiter la société dépravée des *Démons* de Dostoïevski, après être allée contempler dans une chambre d'hôtel, par désœuvrement comme par goût de la mort, le corps d'un jeune et beau suicidé.

Et sans doute m'intéressais-je moins à ce que racontait Rebecca qu'aux correspondances que je découvrais entre son désordre intérieur et celui de la chambre où je restais debout, briguant la chaise du bureau qu'il aurait cependant fallu débarrrasser des vêtements dont elle était couverte, certains étant du linge de corps que je n'aurais touché pour rien au monde : il y a dans les sous-vêtements sales quelque chose de la dépouille d'un serpent, pensais-je depuis l'enfance. Je me suis résigné à l'écouter parler d'elle, en songeant que son extraordinaire intelligence ne lui servait qu'à accroître l'angoisse qui lui mordait l'âme : elle se heurtait à la part d'elle-même sans doute inaccessible à sa raison mais que son esprit comprimait en elle comme un cœur trop blanc. C'est pourquoi elle écrivait et, moins banalement, le faisait en français, langue dans laquelle elle disait souffrir moins, quoique empêchée par la syntaxe d'être aussi bavarde que dans la vie, à supposer que ce qu'on appelle la vie existe indépendamment de ce qui constitue nos plus secrets motifs d'exister.

« Mais il y a des psychanalystes... », ai-je cru bon de dire, décontenancé par son débit, monocorde, haché, et un ton presque neutre, métallique, extérieur, où l'accent danois reprenait par moments le dessus, comme si Rebecca donnait voix à une autre part d'elle-même, la vraie, la plus inquiétante, et qu'elle suscitait dans la pénombre une autre femme, tout à la fois plus jeune et plus âgée qu'elle n'était, et entourée d'esprits maléfiques qu'elle tâchait de faire taire comme on impose silence à des chiens.

« Je vous ai déjà dit que j'en vois un, de ces psys, mais il est fou, lui aussi. Vous voyez, je suis damnée... », s'est-elle écriée avec un rire dont la gravité m'a fait reculer d'un pas vers la porte de la cuisine.

La tête me tournait. Je n'aime pas la psychanalyse. J'avais vu trop de jeunes filles, à l'université de Missoula, se livrer à des thérapeutes avec la certitude qu'elles trouveraient dans leur cure la clé d'un équilibre intérieur, sinon du bonheur. Les démons ne nous quittent jamais. Ils ne sauraient se confondre avec la libido. Au mieux ne cesserons-nous de négocier avec eux ; cela s'appelle la morale — cette partie de nous-mêmes que nous consentons à sacrifier à autrui ou aux apparences (ce qui est presque la même chose). À tout prendre, je préférais les prêtres que fréquentait ma mère : l'au-delà est une forme de bonheur moins trompeur que celui qu'on prétend trouver ici-bas.

À l'une de ces étudiantes, dont je n'ai oublié ni le nom ni la saveur des baisers, j'avais recommandé la lecture des lettres de Flannery O'Connor, plutôt que les traités de Freud, de Lacan ou de Jung. Ces lettres sont pleines de lumière, d'intelligence, de joie. Je les avais offertes à ma mère dont elles étaient devenues le livre de chevet, avec la Bible, bien sûr, et quelques vies de saints, dont celle de Thérèse de Lisieux, sur la tombe de laquelle elle m'avait fait promettre de me rendre, et où j'avais proposé à Rebecca de m'accompagner : elle avait éclaté de rire en m'assurant que la sainte n'agréerait pas la présence d'une fille aussi bizarre qu'elle. Cette dérobade m'avait déçu. Je m'aperçois que je suis entré dans la zone où la superstition est, en matière religieuse, le prodrome de l'inquiétude qui ramènera peut-être à Dieu. J'aime la foi de Flannery O'Connor ; elle me console de ce qui me fait défaut : la foi, justement, bien que je garde à l'Église romaine une grande tendresse et que je ne désespère pas de la trouver, cette foi, un tel espoir pouvant même en tenir lieu, quand il est la face joyeuse du doute.

Rebecca riait de manière saccadée. Elle était un peu ivre, elle aussi. Elle s'était levée pour mieux rire. Son rire l'a rapprochée de moi — bondir serait plus juste :

elle a été soudain contre ma poitrine, après avoir évité avec une science de chat les obstacles parsemant le plancher. Elle frémissait. J'ai fermé les yeux. Elle s'attaquait au premier bouton de ma chemise. Ses lèvres étaient douces; son haleine chaude; son front humide; ses mains restaient fraîches. Elle sentait surtout le vin. Je l'ai embrassée, rencontrant de nouveau ses dents et, comme j'insistais pour trouver sa langue, n'obtenant de la sienne que de furtifs petits coups qui m'ont refroidi, découragé, et rendu las, nauséeux, songeant soudain à tout autre chose — à ma chambre, à ma mère, à la littérature. Il me fallait m'asseoir. Je suis allé vers le lit, le torse nu, où je me suis allongé, y tombant plutôt, les yeux clos, prêt à entendre une voix impérieuse me signifier mon indignité de mâle et me chasser, rouvrant alors les paupières, notant la présence, non loin de ma tête, de trois ou quatre sacs à main très chics, et celle d'un manteau noir à col de renard argenté. J'étais presque sûr d'être pris à la gorge par le renard. Ce fut Rebecca qui me mordit le cou. Elle s'était agenouillée sur le lit. Ma main droite fouillait son ventre, trouvait les boutons de son jean, de son chemisier, la fermeture du soutien-gorge, soulevait sa culotte. Ses seins m'ont caressé le front, la bouche, les joues. Leur splendeur était telle que je me suis redressé pour les prendre dans mes mains. Rebecca souriait tout autrement. Elle m'a effleuré le sexe. Je ne bandais pas (je le dis comme ça, tout autre vocable serait ici ridicule — comme sont ridicules et fastidieux la plupart des récits érotiques). Je me suis déshabillé. Elle s'est allongée devant moi. Je me suis approché de son sexe que j'ai léché. Il sentait fort. J'avais envie d'y verser du vin. Elle m'a repoussé.

« Je suis terrifiée par les MST », a-t-elle dit en baissant les yeux.

Je ne pensais qu'à la couleur sombre de ce sexe d'Asiatique et à son odeur épicée. Le clitoris était inapparent. Rebecca s'était redressée. Elle bombait le torse. Je ne bandais toujours pas. Elle ne me caressait pas. J'ai pris sa main pour la poser sur mes couilles, tandis que je lui glissais le doigt dans l'anus, geste que la plupart des femmes aiment, quoiqu'elles rechignent à l'accomplir sur les hommes. C'est la douce pression du sphincter sur mon doigt qui a déclenché, je crois, mon érection ; mais le fait de me lever en trébuchant pour aller prendre dans ma veste un préservatif m'a fait débander. Je me sentais maudit. Je le lui ai dit. Elle a souri pour murmurer que ça n'avait pas d'importance, et c'était bien ce que je devinais et redoutais : que le sexe n'avait pour elle aucune importance et qu'elle se donnait comme on prête ses livres ou qu'on chante devant quelqu'un, restituant la sexualité à l'ordinaire des jours et des nuits pour mieux s'en défaire ou tuer quelque chose en soi. J'ai fermé un instant les yeux en demandant à Rebecca si elle avait de l'alcool.

« Je n'ai que de l'aquavit. Il est tiède, et je n'ai pas de glaçons... »

Elle est allée en chercher : j'ai pu voir à contre-jour (car la nuit était plus claire, malgré la pluie, que l'intérieur de la chambre) son corps tout entier, splendide, tout autre (plus grand, plus mince, plus délié) que ce que laissait deviner sa façon de se mouvoir habillée, et sans doute inaccessible, même dans le don de soi auquel l'ivresse et ses dispositions mentales la pliaient, sans toutefois lui faire oublier sa prudence prophylactique.

« Vous êtes plus sombre, plus désespéré que moi, mais peut-être pas damné... », m'a-t-elle dit en me tendant un verre d'aquavit dont le fort goût d'herbes m'a rappelé les montagnes Rocheuses, ou dont je voulais qu'il me les rappelle, tellement je me sentais désemparé, dans cette haute chambre, au cœur vénéneux de Paris, comme disait ma mère pour qui la capitale française restait un lieu de perdition.

Rebecca s'est allongée près de moi, la tête nichée dans mon cou, une jambe par-dessus les miennes, comme le ferait une femme qui a tiré de son amant ce qu'elle pourrait appeler le sel de l'existence. Elle continuait à parler. Le monde de Rebecca était un monde restreint aux ressassements de sa névrose en même temps qu'étendu à toute la planète, où elle aimait voyager, et à l'immensité de l'univers, ses préoccupations scientifiques la ramenant néanmoins au premier cercle de l'enfer névrotique, de sorte qu'elle pouvait se dire damnée. Un monde également peuplé d'innombrables amants, au rang desquels j'allais accéder après qu'elle m'eut flatté les couilles et enserré assez fort entre deux doigts la base de mon sexe de nouveau dressé, Rebecca déchirant l'emballage d'un préservatif qu'elle a déroulé sur ma verge avec la bouche, plus experte en cela que pour les caresses ou les mouvements pelviens. Je me laissais faire, moins sensible à ses gestes qu'à l'odeur de sa transpiration dont je m'étonnais qu'elle soit soudain si forte, alors qu'il y avait pourtant maints

94

flacons de parfum sur le rebord de la cheminée, chacun témoignant d'un amant récent ou récurrent, ai-je songé, si bien qu'une fois en elle je n'ai pas tardé à débander et qu'elle a eu la bonté de prendre ma main pour la guider sur son sexe et me faire la caresser jusqu'à ce qu'elle jouisse avec un cri de petit rongeur.

Je parle de bonté, car je n'imagine pas qu'une femme ait pu nourrir d'autre sentiment à l'égard d'un amant aussi peu performant. Peut-être s'agissait-il simplement de cette indulgence que les femmes témoignent souvent aux hommes et à leur mécanique sexuelle simpliste. Rebecca restait tout près de moi, la main sur mon ventre, la tête contre mon cou, le fait de n'avoir pas joui d'elle me gardant à distance, incertain de ce que je voulais et, davantage, de ce qu'elle attendait de moi qui, en vérité, ne l'avais accompagnée chez elle que pour voir ses seins, songeais-je, ou peut-être même sa chambre, la curiosité et le désir n'allant pas forcément de pair, au contraire de l'amour, qui est une curiosité quasi anthropophage, Rebecca, elle, ayant remplacé l'amour par le don renouvelé, quasi anonyme de soi, et alliant toute forme de curiosité à une sorte de fatalisme sexuel dont je ne mesurais pas encore l'étendue. Nous ne nous embrassions pas, n'avions aucun geste qui relevât même de la tendresse, et Rebecca ne parlait que de ses démons ; d'où mon fiasco, terme que j'avais appris dans Stendhal, dont Bugeaud m'avait fait découvrir le journal intime.

« Le baiser est une chose considérable, dans l'amour physique. Il décide d'emblée de tout », m'avait-il dit, un jour, avec une espèce de solennité pontifiante qui m'agaçait un peu et me faisait me demander si, parvenu à la notoriété qui était la sienne, un écrivain ne doit pas cesser de s'exprimer en public, sinon faire vœu de silence, se retirer sur ses terres.

Sur la question du baiser, en tout cas, il ne se trompait pas, pensais-je en écoutant la pluie battre la vitre obscure avec la sécheresse de grains de riz qu'on jette sur des mariés et qui retombent sur la carrosserie des voitures qui les emmèneront en enfer, songeais-je en me rappelant la vieille Pontiac Tempest dans laquelle une cousine de mon père était montée, une fois mariée, juste après la cérémonie, et qui s'était écrasée contre un camion, à la sortie de Butte, sur la route de Great Falls. Une telle fin ne s'invente pas. On peut mourir dans l'horreur des symboles, tout invraisemblables qu'ils paraissent.

Rebecca ne parlait plus. Nous n'étions unis par rien d'autre que par de petits bouts de peau qui transpiraient les uns contre les autres. Ma main enserrait son épaule ; sa main gauche pendait dans le vide, tandis que de l'autre, plus exactement de l'index, elle avait entrepris d'explorer la peau de ma poitrine, en un geste qui, sans être une caresse ni l'inscription d'idéogrammes inconnus, m'apaisait tout en me faisant noter que ce que j'avais pu prendre pour des gestes amoureux était non pas une caresse instinctive, ni de simples appuis pour la parole mais une performance artistique, d'une virtuosité sacrificielle, la vraie proximité se trouvant dans le sacrifice de soi, c'est-à-dire dans une forme de renoncement. Car c'était par une sorte d'abnégation que Rebecca m'avait fait monter dans sa chambre et qu'elle s'était donnée à moi, sans qu'il y eût de ma part la moindre possibilité d'abandon. Je n'étais pas à la hauteur, et c'était la raison pour laquelle je n'avais pu la prendre, son abandon relevant plus de l'art que de l'amour ou du désir, quoique son sexe fût humide. Et si elle m'avait dit : « Je suis Dieu », comme la madame Edwarda de Georges Bataille, je n'en aurais pas été autrement étonné. Mais peut-être en aurais-je ri, ayant toujours trouvé ce texte de Bataille un peu grandiloquent, et Rebecca préférant au personnage de Bataille la troublante Edvarda de *Pan*, roman de Hamsun qu'elle m'avait fait découvrir.

Une artiste du sexe, ai-je alors pensé.

Cela faisait d'elle autre chose que l'Américaine que je croyais qu'elle était, sur le plan sexuel, c'est-à-dire une femme qui déteste le *french kiss* et qui, en fin de compte, se donne en se refusant — de quoi la sodomie est souvent pour les vierges une forme de compromis, m'avait dit une jeune fille de Missoula. Je n'avais jamais sodomisé une femme : sans croire que c'est là une pratique infâme, je redoutais d'entrer en contact avec les matières fécales, qui sont un signe de notre misère. Et puis l'étudiante libanaise m'avait parlé d'une compatriote de ses amies qui, soucieuse d'arriver vierge au mariage tout en entretenant avec un homme marié une longue liaison, avait pratiqué la sodomie jusqu'à en faire une seconde nature, répugnant presque, une fois mariée, à faire usage du conduit naturel, ce qui l'avait conduite à penser que le sexe est une forme de damnation —

à quoi Rebecca apportait la dimension artistique, c'est-à-dire le vertige de l'indifférence.

Elle s'était remise à parler. Il me semblait évident que le don de son corps n'avait d'autre but que de déployer au cœur de la nuit une parole sans fin, dans laquelle il ne pouvait être question de soi. Je l'écoutais à moitié, comme on le fait dans ces moments où le corps, délivré de l'ardent buisson dans lequel il brûle et devient cendre, erre au-delà de lui-même dans la pénombre d'une chambre où les frontières entre ce qu'on entend dans la bouche d'autrui et ce qu'on perçoit en soi-même sont toujours plus incertaines. Rebecca évoquait son enfance à Aalborg, son père, sa mère, son grand-père qui vivait à Tampa, et aussi la psychanalyse, le *Journal* de Kierkegaard, les récits de Jouve, de Blanchot, de Des Forêts, les concertos pour violon de Bach, les photographies de guerre, tout ce dont elle m'avait déjà parlé, en fin de compte, et sur quoi elle revenait et qui reviendrait à chacune de nos rencontres, sa vie personnelle n'étant rien d'autre qu'une confession générale qu'elle distribuait et variait entre ses amants successifs et son psychanalyste, à défaut d'un frère ou d'une sœur à qui se confier, chacun devenant ce frère ou cette sœur, c'est-à-dire des anges plus ou moins bienveillants, les femmes, surtout, dont elle ne supportait pas les logorrhées mais qu'elle s'obstinait à fréquenter pour ne pas se forger d'elle-même une opinion excessive.

Je dois avouer ici que, ma place dans la vie de Rebecca n'étant pas la première et ne pouvant l'être puisque nul ne l'occupait, en réalité, je m'étais brusquement défait du sentiment que je croyais pouvoir lui porter, et qui relevait moins de l'amour que de l'émotion et d'un intérêt quasi fasciné. Rebecca n'aimait personne, pensais-je pendant qu'elle parlait en passant l'index sur ma poitrine où elle dessinait le signe de ses peurs.

J'écoutais la jeune femme et pensais à mon fiasco, que je mettais au compte du préservatif. J'ai fini par lui en parler, voilant un instant le grand miroir de sa parole. Rebecca acceptait de bonne grâce les interruptions, au contraire des bavards ordinaires. Elle trouvait même dans cette pause l'occasion de me manier le sexe avec la même indifférence qu'on voyait dans son sourire et dans ses yeux, tandis que je me berçais d'un espoir que soutenait le durcissement de ma verge.

« Je ne peux pas faire l'amour sans protection », a-t-elle rappelé d'une voix, atone, monocorde, qui avait elle aussi quelque chose d'indifférent et me donnait l'impression que Rebecca se réfugiait dans un repli de l'ombre et qu'il ne demeurait d'elle que cette voix d'où elle s'était retirée en me laissant son corps, immobile, offert, et dont je pouvais faire ce que je voulais. J'avais gardé le préservatif. Je lui ai donc ouvert les jambes, trouvant la fente au cœur d'une toison assez épaisse, j'ai ramené à moi la jeune femme sous la forme de grognements qui m'ont paru outranciers, obscènes, quasi bestiaux, sa jouissance se manifestant par un cri un peu plus sourd et par ces mots, « mon amour », plusieurs fois répétés et qui me semblaient la plus étrange façon d'accompagner un acte somme toute mécanique, n'imaginant pas, moi, que Rebecca puisse m'aimer. On voit que je connaissais mal les femmes.

Je cherchais une porte de sortie. J'étais sain de corps et d'esprit, et las de l'hygiénisme de notre époque, irrité que Rebecca s'y conformât, en ce sens moins danoise qu'américaine, et moins audacieuse que soucieuse de ce qui pourrait la damner vraiment : la maladie physique, laissant ainsi ses terreurs prendre le dessus sur sa liberté, sa vie sentimentale se résumant à une forme particulière de sexualité qu'il me restait à découvrir et dans laquelle je devinais que le coït n'était qu'un moment médiocrement important. La crainte des maladies sexuellement transmissibles, comme elle les appelait prudemment, la gouvernait avec l'irrationalité des grandes peurs médiévales devant les épidémies. Elle redoutait le sida et la syphilis autant que les accidents d'avion, ou les catastrophes naturelles, voyageant néanmoins autant qu'elle se donnait aux hommes ou qu'elle fuyait le Danemark, sa mère, son enfance.

Ses peurs suscitaient en moi non de la compassion mais une froideur et une gêne qui sont les prémices de l'éloignement, bientôt de l'aversion. Une aversion que je mettrais, si elle se confirmait, au compte de la frustration, non de l'humiliation ; je n'ai jamais placé d'orgueil dans ma condition de mâle, encore moins dans les prestations sexuelles : je n'étais pas un artiste ; je n'y prétendais pas : je me voulais un écrivain au sens le plus anonyme du mot, c'est-à-dire un grand absent, un corps sans appartenance singulière, au contraire de mes contemporains qui mettent le corps au-dessus de l'esprit, ce qui d'une certaine façon me rapprochait de

Rebecca qui avait cessé de parler, ce soir-là, nue, les jambes ouvertes, le sexe humide, la tête sur mon épaule, les yeux mi-clos et tournés vers la fenêtre dont elle avait entrouvert le rideau, abandonnée à la paix qui pour quelques instants avait remplacé ses peurs dans la pénombre de cette chambre où régnait un silence si parfait qu'on doutait si on se trouvait non seulement dans un immeuble mais aussi dans une ville.

« Nous sommes hors du monde », ai-je chuchoté.

Remarque banale, à laquelle Rebecca a répondu que nous étions plutôt hors du temps ; qu'elle ne vivait pas tout à fait dans le même univers que moi ; qu'elle exis- tait hors d'elle-même, enfermée dans son propre dehors, précisait-elle, à condition de considérer que le moi et le dehors ne sont pas toujours distincts, comme disait mon père à propos des forces de la nature, quand nous étions à la chasse ou à la pêche, ou qu'il habitait encore avec nous et s'allongeait dans la vieille chaise longue, entre le portique à balançoires rouillé et la Datsun rouge, au fond du jardin envahi d'herbes folles, ce qui m'avait fait très tôt deviner qu'un père qui laisse un jardin à l'abandon est sur le point de tout quitter, faisant de cette friche le tombeau de son fils.

Les espaces dans lesquels se mouvait Rebecca, à ce moment, étaient si étranges ou, pour reprendre un de ses mots favoris, si bizarres, que j'ai compris que je devais partir. Je me suis rhabillé à l'aveuglette, me rappelant les endroits où j'avais posé mes vêtements avec une pré- cision qui me faisait penser que, malgré l'ivresse, je m'étais dévêtu avec l'intention de m'en aller au plus vite, tâtonnant dans la pénombre pour vérifier que je n'avais rien oublié, posant la main sur une culotte de soie que j'ai froissée et mise dans ma poche : il me semblait que j'en avais le droit ou, plus exactement, que Rebecca me le devait. Geste injustifiable mais qui m'emplissait d'une joie pure et simple. Je possédais enfin quelque chose de Rebecca qui s'était levée et se tenait nue, près de sa porte entrebâillée sur le couloir obscur, une main sur ses seins, me caressant la joue de l'autre et me tendant ses lèvres pour que je les embrasse. Faire de la lumière m'aurait indigné ou humilié. En bas, dans la cour humide qu'il fallait traverser avant de passer sous une voûte pour gagner la porte de l'immeuble, j'ai levé la tête vers les fenêtres de Rebecca : la cuisine était éclairée. Je ne me suis pas attardé : rester immobile, à cet endroit, la tête levée, suffisait à faire de moi un criminel, comme si j'attendais que la jeune femme se jette dans le vide, avec ma bénédiction. Rebecca ne mourrait pourtant pas cette nuit, ai-je pensé. Je souriais. Tout autre que moi se serait dit heureux.

Dehors, la place était déserte ; je serrais la culotte dans mon poing, au fond de ma poche, et je songeais à la manière, très asiatique, qu'avait la jeune femme d'être là sans que sa présence soit autre chose que l'eau calme d'un regard et le frémissement d'une main sur une pierre. Caresser cette soie était une façon d'en revenir à cette eau, au silence de la pierre, à la moire de la nuit où Rebecca m'avait doucement renvoyé, celle des hommes ordinaires.

6

Ce n'est qu'une fois chez moi que, si j'ose dire, j'ai eu avec Rebecca ce rapport qui m'avait été refusé dans sa chambre. L'érection avait commencé pendant la traversée de la Seine. Mon sexe me faisait mal à force de frotter contre la braguette. La montée du boulevard Saint-Michel avait été une marche aussi inquiète qu'exaltée : il y avait des mois que je n'avais tenu une femme dans mes bras, et voilà que je lui préférais son fantôme. Dans ma salle de bains, je contemplais mon sexe dressé devant une absente dont je revoyais les seins magnifiques, la toison aile de corbeau, le sexe aux lèvres presque noires. Était-ce la couleur de son sexe qui m'avait empêché de jouir ? Je songeais à celui de la squaw paternelle. En quittant Rebecca, j'étais non seulement dépité mais tourmenté par le désir qu'elle avait suscité en moi, lequel avait l'ampleur d'une débâcle, suis-je tenté d'écrire, en usant de ce beau mot qui dit aussi l'échec absolu, la langue me piégeant aussi bien que le désir qui m'empoisonnait le sang, pour parler encore comme mon père qui, avant de rencontrer sa squaw, prenait la vieille Datsun en chantant une chanson de

George Jones, *He Stopped Loving Her Today*, et allait voir les prostituées, dans leurs caravanes, à l'entrée de la ville, notamment l'une d'elles que mon père, lorsqu'il était soûl, m'exhortait à baiser, moi aussi, car elle était la fille qu'il n'avait pas eue et que, la baisant, je pourrais m'imaginer avoir une sœur. C'était une petite blonde qui ressemblait à Sissy Spacek, si fine et si délicate que mon cœur se serrait à me représenter les circonstances qui l'avaient amenée à sa déchéance, qui plus est à subir les assauts de mon père et de types dans son genre que l'alcool, la mauvaise nourriture et la mélancolie avaient rendus gras et lourds, très laids, pour certains répugnants, et dont j'imaginais le sexe barattant la frêle Samantha qu'il suffisait d'entendre parler pour comprendre à quel degré de désespoir elle était parvenue, comme en ce jour où ma mère m'avait demandé d'aller chercher mon père, qui était soûl et à propos de qui Samantha m'avait dit de ne pas m'inquiéter, ni pour lui ni pour elle, car elle s'était spécialisée dans les hommes ivres et brutaux, ce qui a fini de m'emplir de pitié pour ces filles et d'un surcroît de dégoût et de haine pour mon père qui se négligeait tellement, à la maison, qu'il se montrait à moi le sexe à l'air, ce membre me répugnant plus que tout, avec ses longs poils grisonnants, ses grosses couilles, ce pénis plus long et plus épais que le mien, et dont je me représentais, avec horreur, que j'étais sorti. Un fils qui aperçoit le sexe de son père n'est-il pas aussi maudit que les filles de Loth ? me demandais-je en regardant le mien, dressé : dans le miroir il ne semblait plus m'appartenir.

C'était le mien, pourtant, et il me fallait vivre avec cette damnation. J'ai réussi à ne pas débander. Mon père s'éloignait, ma mère ne me voyait pas. Je n'existerais bientôt que dans le fait de bander et d'écrire. C'est pourquoi, ce soir-là, j'ai fermé les yeux pour me libérer de ce dont Rebecca n'avait pas voulu dans son ventre mais dont l'expulsion, tandis que je me caressais les testicules avec sa culotte, me donnait un plaisir bien plus intense que celui que j'aurais éprouvé si j'étais parvenu à posséder Rebecca avec un préservatif — et la possédant en quelque sorte en différé, *in absentia*, ce qui était, s'agissant d'une femme aussi bizarre, le moindre des paradoxes. Et c'est un peu plus tard, allongé sur mon lit, que j'ai pu me représenter non plus Rebecca dont j'avais réussi à susciter le corps tout entier, pendant que je me masturbais, mais sa chambre et les objets qui la peuplaient comme la tente d'un cavalier barbare dont la jeune femme aurait été la captive. Une remémoration dont la précision m'a permis de trouver un sommeil qui est venu alors que j'avais entrepris l'inventaire de ce que j'avais aperçu chez Rebecca, dénombrant les livres dont j'avais réussi à lire le titre, les chapeaux à voilette et à plumes, les flacons de parfum, les paires de chaussures à talons hauts, non loin d'un réticule en petites perles noires et à fermoir doré : des objets qui surnageaient dans le grand désordre de la pièce et qui laissaient, avec quelques livres de littérature, imaginer une autre vie, plus secrète, celle dont toute femme ne propose que la version provisoire, abrégée, en fin de compte non révélée à l'homme qui, en devenant son amant, se convertit à la seule pratique religieuse qui vaille, peut-être, en dehors de la foi et en attendant la fin, celle de l'amour, de la femme aimée.

DEUXIÈME PARTIE

SCÈNES DE LA VIE SEXUELLE

Donne-moi, Seigneur, un cœur dur !
Seigneur, endurcis mon cœur !

Katherine MANSFIELD
Journal

No, man! On n'écrit plus comme ça, aujourd'hui.
Assez de ce langage compassé, empesé, solennel, de ces
phrases de grand paon qui tourne éternellement sur lui-
même au lieu de se tourner vers le monde! Fini ces
incises, relances, digressions, imparfaits du subjonctif,
nobles tournures avec, çà et là, quelques mots familiers
ou crus comme concession à l'esprit du temps! Ce lan-
gage-là n'est pas plus le mien que le français ma langue,
si juste que soit le discours sur la légitime appropriation
des langues par l'étranger ou sur le devenir étranger de
toute langue sous la plume de l'écrivain. Fatigué de tout
ça, moi, imposteur, ignorant, petit garçon parvenu au
bout d'une jetée où il ne trouve que lui-même. Je ne
veux plus écrire comme Bugeaud, ce dernier lui-même
las de son style, pris au piège de sa propre rhétorique et
de son œuvre, sans doute aigri, vautré dans la mélancolie, cherchant désespérément une nouvelle manière,
et finissant par ne plus croire en rien. Je suis sans doute
injuste envers lui, mais il faut tuer le père, n'est-ce pas,
et je continuerai autrement, plus libre, le récit de ma
relation avec Rebecca (j'allais écrire liaison mais le mot

est impropre : Rebecca échappe à toute contrainte comme aux définitions immédiates; elle vit dans la solitaire liberté de son art, sexe ou écriture, et même cette thèse qu'elle désespérait de mener à bien, sans doute parce qu'elle devait la rédiger en anglais).

Je ne veux plus aller vêtu en pingouin d'Europe occidentale. Cette culture-là est morte. L'américaine est décadente, mais elle l'a toujours été, surtout quand elle a cessé de singer l'Europe. L'Amérique n'est cependant ni la Grèce, ni Rome, ni même la France. Au moins l'assumons-nous, et nous écrivons à partir de ce constat, même si nos illusions sont les mêmes, en fin de compte. Nous sommes des marchands de voitures, de films, de sodas et d'idéaux égalitaires pour des gens qui ne pensent pas. Le grand roman américain est une fable de publicitaires ou d'universitaires chauvins. Nous sommes seuls, parce que identifiables au premier venu, en n'importe quel endroit de la terre, même parmi ceux qui nous singent. Je suis seul — et bien plus que je ne le crois. Seul comme on peut l'être quand on se trouve dans le lointain des langues.

Je continue, et en français, quitte à être banal, ou incorrect, et ignorant comment on doit écrire aujourd'hui et quel pourrait être mon style, écrivant donc dans l'absence de style, ce qui fait de moi un fantôme.

J'essaie de dire qui est Rebecca — et accessoirement qui je suis, ou celui que j'étais quand je la fréquentais.

Un récit? Je me méfie des récits et n'aime guère les romans, encore moins les déplorations. Je préfère la nudité de la note, qui n'a rien d'américain : l'Amérique ne court-elle après le roman comme un chien bâtard derrière un cerf royal?

La vivacité de la note, donc, son surgissement incessant, cette brièveté dans laquelle Rebecca se donnait le mieux...

Et puis on n'écrit bien qu'à partir de ce qui est achevé ou perdu; et je croyais Rebecca perdue, sinon morte, à elle-même surtout, c'est-à-dire ayant enfin accédé à la dimension artistique de sa vie : le sexe hors sentiment, l'inverse n'existant pas, malgré le mythe de l'amour dit platonique ou l'amitié amoureuse : l'amour sans sexe n'est qu'une vue de l'esprit, un produit de substitution, comme notre époque en propose tant, jusqu'à substituer l'illusion à la réalité.

(J'ignorais encore que la pratique du sexe sans amour n'exclut pas cette voie parallèle qu'est le sentimentalisme sous forme d'accès maladif, ou bien de générosité quasi désespérée.)

Allons à l'essentiel.

Quelques mois ont passé. Je suis dans ma chambre, non plus rue Gay-Lussac (dont je n'aimais pas le bruit ni le nom, celui d'un chimiste du XIXᵉ siècle, dont Bugeaud m'a dit qu'il était originaire d'une bourgade limousine, Saint-Léonard-de-Noblat, où est enterré Gilles Deleuze, avançant le nom du philosophe pour préciser que le Limousin ne produit que des exilés ou des tombes), mais rue Pierre-et-Marie-Curie, une rue calme, harmonieuse, avec d'un côté les bâtiments de brique d'une université, de l'autre de beaux immeubles à encorbellement, témoins d'une civilisation autrefois pieuse, spirituelle et soucieuse d'art, aujourd'hui bruyante, arrogante, souvent vulgaire, comme le deviennent les peuples qui ne se résignent pas à leur fin.

Je regrettais parfois le calme de Butte, la qualité de l'ennui qu'on y éprouve ; car on s'ennuie terriblement à Butte. À Paris, on meurt sans s'en apercevoir, les Français niant les évidences avec une ironie qui est une variante de l'ennui, comme tout ce qui fait qu'on s'aveugle sur soi. Je me rappelle ceux qui croyaient, à

112

Butte, que je mènerais à Paris la grande vie, que je la dévorerais par tous les bouts : ne savais-je pas, déjà, que c'est la vie qui me dévorerait ?

Je suis hanté par une forme de piété : dire tout ce que je sais d'une femme que je n'ai sans doute pas aimée, et qui est peut-être morte, puisque je n'ai nulle nouvelle d'elle depuis près d'un an et que je ne cherche pas à en avoir, sachant que Rebecca apparaît ou disparaît selon des principes qui appartiennent non à la psychologie ordinaire ni au temps commun mais, risquons-le, à des aberrations stellaires dont seule la poésie pourrait rendre compte.

Je n'avais d'abord pas prêté d'attention à son absence, ni à ce que j'appellerai sa disparition, tant il est vrai qu'on se lasse de tout, même de l'exceptionnel, l'exceptionnel finissant même par constituer une routine, les hommes bramant devant celle-ci comme devant les femmes qu'ils convoitent. Je ne convoitais pas Rebecca. Je ne l'avais jamais convoitée. Il est vrai que j'avais rencontré une autre femme — une Française d'âge mûr, d'origine arménienne, au visage et aux seins ronds, et dont je ne dirai rien, ici, sauf qu'elle m'a pendant quelque temps détourné de ma main — de la masturbation, veux-je dire, donc de moi-même, pour ouvrir en moi une voie aussi profonde et lumineuse que la rue où je vivais.

On n'est soi-même qu'en ouvrant les mains, non la bouche. On chante en soi plus fort qu'à pleine bouche, et on se donne ainsi sans y penser.

« Ton corps est cette paroi où je grave inlassablement nos noms », disait en riant cette femme. C'était un peu ridicule mais pas tout à fait faux : un architecte avait bien gravé le sien au bas de l'immeuble, près de la porte d'entrée. Et après tout, que pouvait-elle me dire de plus amoureusement *français*, cette femme qui avait été mariée, et que je quitterais bientôt car le fils avec qui elle vivait me haïssait, ne pouvait que me haïr et moi me sentir devant lui un père impossible ?

Il ne me restait donc qu'à mériter le titre d'écrivain que je lui avais servi et dont j'étais soudain embarrassé.

Je me suis mis sérieusement au travail, d'abord avec les béquilles de Bugeaud, ensuite à cloche-pied, comme on peut le voir. La prose est la chose la plus difficile qui soit. Je le soutiens contre les poètes qui voient dans leur art le summum de l'expression littéraire. On peut réussir des vers ou de ces courts segments qu'on appelle des vers, quoiqu'ils soient dépourvus de musicalité. Mais on peut tricher avec la poésie, grâce aux métaphores, aux images, à la liberté absolue du poème. Le monde bruit de mauvais haïkus et de poétiques sentences de quatre sous, et il y a longtemps que je me suis éloigné des images. En revanche, il est très difficile d'écrire en prose. La première partie de mon récit en témoigne : je n'ai pu avancer qu'en imitant un autre écrivain, et en me prenant pour un Américain de la Génération perdue. Je trichais : manière de me perdre pour être vraiment seul, comme je l'avais dit à mon professeur de littérature, à Missoula, qui m'engageait à suivre des cours de *creative writing* : j'avais refusé, arguant qu'on n'apprend pas à écrire et qu'on devient écrivain en écrivant, seul, avec le sentiment de se perdre. Toute génération est vouée à sa perte, comme l'individu à sa propre fin. Je dois être à moi seul ma propre génération, dans la perte comme dans l'anonymat. J'accepte de n'être rien en écrivant : c'est pourquoi je suis maintenant plus sûr de moi.

J'ai d'abord esquissé l'histoire de Rebecca en démarquant son récit autobiographique, dont j'avais gardé une photocopie au bureau. Ce que disait Rebecca (quelques épisodes sexuels précoces et cruels, à Aalborg, de quasi-cérémoniaux sacrificiels, déjà : les stigmates donnés par la mésentente de ses parents, puis leur divorce), je ne le répéterai pas. Elle le publiera, un jour, sous une autre forme, j'en suis sûr, avec peut-être l'évocation de ce que nous avons vécu ensemble, elle et moi, pendant deux années environ.

En vérité, Rebecca n'a pas d'histoire ; d'où l'échec de sa psychanalyse. De la même façon, elle n'est pas belle : elle est libre, et cette liberté lui donne une forme de beauté supérieure, parce que chacun peut l'inventer à partir de tels détails de son corps. Son histoire est celle de son corps, de ses sens, de ses hantises, de l'immédiateté avec laquelle elle se donne ou disparaît — ou bien se donne pour se faire oublier. C'est pourquoi son passé ne m'intéresse pas plus que le mien : comme tous les enfants de divorcés, nous sommes maudits, incapables de mener une vie normale, condamnés à voguer d'un partenaire à l'autre, parfois jusqu'au sordide ou au dépravé, et terrifiés par l'engendrement.

Le divorce est, avec la névrose et la démocratisation des études littéraires, la principale source de l'inflation romanesque, suggère Bugeaud, autre naufragé de l'amour conjugal. Les choses sont évidemment moins simples, et Rebecca sans doute plus étrange, encore, que je ne le crois — ou bizarre, pour parler comme elle.

J'ai relu *L'Ange du bizarre.* Je ne crois pas que Rebecca corresponde au grotesque personnage de Poe. Elle échappe à toute définition qui ne viendrait pas d'elle-même ; et encore s'agit-il le plus souvent d'un leurre. Elle est tout entière dans la pure proposition de son corps, dans le tragique d'une parole qui ne sert pas son étrange beauté : elle semble même la nier en s'en remettant au hasard de rencontres dans lesquelles seul l'intéresse vraiment le danger qu'elles peuvent présenter ou plutôt la manière qu'elle a de sentir ce danger et de jouer avec lui, hors les maladies sexuellement transmissibles. Elle ne se maquille donc pas, sauf en de rares occasions, lorsqu'on le lui demande. Non qu'elle cherche à s'enlaidir ou refuse ce qui lui donnerait un visage plus joli — plus commun, aussi ; elle reste elle-même, soit ce qu'on attend ou exige d'elle ; mais elle ne fait rien pour cacher le travail de l'angoisse : alors son visage se ferme, devient mat, plus inhumain que celui de la poupée à tête de porcelaine qu'elle a disposée sur sa bibliothèque et qui lui vient d'une autre enfance — celle de sa grand-mère paternelle, qu'elle n'a pas connue, bien qu'elle soit morte à un âge très avancé.

« Je vois parfois un signe dans cette longévité — le signe que je ne mourrai pas tout de suite. »

Et elle riait avec un petit cri d'oiseau terrifié.

Et je songeais de nouveau à ces totems en forme d'oiseaux qu'on trouve sur la côte de la Colombie-Britannique.

Je cherche le totem de Rebecca.

Ce que je sais d'elle me revient par vagues, depuis sa disparition.

Autant dire que c'est elle qui revient, et non pas moi qui ai été cloué à elle, dont je ne sais rien, en fin de compte, sa parole la plus intime étant son masque, et le sexe ce par quoi elle se hante elle-même.

Elle ne pouvait que revenir se jucher sur mon ventre comme un dieu-corbeau.

Fantôme de son propre corps, de sa voix, des langues qu'elle répudie ou habite en silence.

Nue, elle se donne par défaut, plus que par sacrifice, contrairement à ce que j'avais d'abord cru.

Je n'aurai jamais été aussi nu ni impersonnellement obscène, donc innocent, qu'elle peut l'être.

Je suis l'enfant qu'elle a porté sans être mère, ni moi vagissant sur son sein, son ventre, sa bouche.

Je suis l'expulsé ; elle, la revenante.

Pendu à son sein.

Bouche ouverte devant son sexe-corbeau.

Bredouillant devant ses lèvres sombres en une langue sans mots.

Rêvant de crier en elle comme autrefois nous criions

dans les puits de mine, où nous lancions parfois un chat vivant.

Un camarade a fini par s'y jeter, une nuit.

Je tombe encore dans ses hurlements.

Je hurle dans la tombe où il se souvient de moi.

L'acte sexuel n'est peut-être rien d'autre qu'un cri poussé au fond d'une mine.

Aimer, c'est hurler dans un vagin qu'on aurait préféré ne pas exister.

Les hommes, pour la plupart, ne savent pas très bien s'ils veulent vivre ou mourir. Rebecca m'a montré comment me tenir à la lisière de la vie et de la mort, sans résignation ni effroi : dans le cri du grand corbeau et le brame de l'élan d'Amérique.

Crier, bramer : écrire.

Mourir sans mourir.

Avoir toujours été mort et s'en remettre au cri de plaisir d'une femme pour se retourner dans ce lit de ténèbres.

Vivre, donc.

Son premier amant français : un photographe, rencontré dans un bar (un mot qu'elle employait de préférence à celui de bistrot ou de café, avec cette nuance que Rebecca donnait à bar, prononcé gravement, en laissant mourir la voix dans ce monosyllabe, comme si elle avait joui ou que le bar avait quelque chose de rouge sombre, de glauque, donc de sexuellement plus excitant que le café ; et, quand elle a su que ce mot désigne aussi un poisson, elle y a vu un surcroît de profondeur — donc de justification, tout en cessant de l'employer).

Un photographe d'art, ou prétendu tel, avec tous les clichés présentés par ce genre de personnage : barbe de trois jours, vêtements sombres, foulard couleur sable, cigarettes, cocaïne, journaux de gauche, langage bref, rapide, argotique, crypté, et surtout le désir de baiser le plus de femmes possible pour mieux les photographier (ou, selon Rebecca, de les photographier pour les sauter) — oui, la bouche pleine de discours sur ce qui, la photographie, n'est peut-être qu'un art par défaut, mais qui amusait Rebecca, peu farouche d'abord, sinon accorte et conciliante, comme toutes les femmes qui savent la nature exceptionnelle de leur beauté.

Elle avait trouvé dans les cafés une forme de paix et aussi un lieu où travailler, comme Nathalie Sarraute, avait-elle dû dire au photographe, lequel (néanmoins gentil, assez beau, moins prétentieux qu'il ne paraissait, donc plus près de l'humilité indispensable à l'art, quoique incapable d'aucun sacrifice) a trouvé en elle le genre de proie consentante qu'on nomme modèle, Sarraute (qu'il n'avait pas lue mais dont il devinait que le nom était opératoire et soutenait qu'il aimait son « travail », vocable qu'il préférait à celui d'« œuvre », jugé dépassé) permettant de conclure l'affaire, photos (celles-ci nues et tarifiées) et sexe (qu'elle eût aimé tarifié, en l'occurrence, quoique incapable de demander de l'argent, même pour la forme, ou par jeu).

« L'a-t-il compris ? Il me payait ces photos car il exigeait beaucoup de moi et les séances étaient longues, avec quelquefois d'autres modèles, pour des poses avec d'autres femmes, selon les commandes.

— Et vous aimiez ça ?

— Oui. »

Mais si elle ne détestait pas faire l'amour avec le photographe, elle aimait moins le faire avec d'autres femmes, ce que son amant lui imposait pour des séances de photos particulières.

« Quelle femme êtes-vous ? »

Elle a souri en murmurant que ma question était un peu bête, sentimentale, qu'elle supposait non seulement des explications mais des justifications — la promesse de n'être plus ce qu'elle était ou que je croyais qu'elle était et qu'elle ne savait pas plus qu'on ne sait qui on est en général, car elle était n'importe quelle femme, comme on l'est dans les orgies auxquelles il lui arrivait de participer.

« Des orgies ?

— C'est comme ça qu'on les appelle, non ? »

Je rougissais.

Je me sentais presque coupable.

J'ai regardé des photos d'elle. Ce n'était pas tout à fait la femme que je connaissais : elle ne ressemblait ni aux filles de magazines érotiques ni à une inconnue ; elle ne ressemblait qu'à ce que le photographe voulait qu'elle soit : un modèle, c'est-à-dire personne ; d'où cette beauté qui ne se révélait qu'à travers l'art, un peu froide, lointaine, tout entière dans le sourire qui soulignait la perfection de ses formes.

« J'aime ces moments où je ne suis personne, en posant, en buvant, en faisant l'amour avec un inconnu. »

Elle aimait se perdre, n'être plus rien, jusqu'à l'oubli.

Elle disait qu'on peut se perdre sans déchoir, et déchoir hors de l'abjection.

Je n'ai pas osé lui dire qu'elle trichait : le véritable oubli de soi supposait qu'elle se donne sans exiger de ses amants aucune prophylaxie.

Je n'étais pas digne d'elle.

Elle m'avait offert plusieurs de ces photos. Je lui en ai volé d'autres, notamment une diapositive que j'ai fait tirer sur papier : lorsqu'elle a disparu, je les ai déposées dans les coins du grand miroir qui surmontait, chez moi, une cheminée assez semblable à celle de Rebecca (les Français sont décidément plus narcissiques que les Américains), et il m'arrivait de me délivrer en la regardant, sans un coup d'œil à ce que la glace me renvoyait de moi. Je m'absentais de moi-même.

Buste, toison, ventre, dos, bras, cuisses, mollets splendides.

Une légère et petite tache de naissance, à droite, sur l'aine.

Des seins mesurant le poids du monde.

Un nombril où j'ai souvent logé le bout de ma langue.

Visage dur, soumis, le regard fixe, le sourire cruel (une cruauté sans emploi, donc proche de la bonté à force d'indifférence), surtout quand elle posait vêtue d'habits de couturiers et chaussée de talons aiguilles, les seins, les fesses ou le bas-ventre dénudés.

Incapable de cruauté, jouant de sa froideur comme une enfant qui chantonne dans un palais de glace.

Riant de ce qu'elle paraissait, non de ce qu'elle était.

Et moi, ébranlé depuis le ventre jusqu'à l'âme, infiniment reconnaissant à Rebecca d'exister de cette manière, de consentir à paraître ainsi devant moi, même si je me trouvais sur l'autre rive.

Je me résignais à ne pas la voir pendant plusieurs semaines, quelquefois, la rendant à d'autres amants, à l'astrophysique, aux voyages, à ce qu'elle appela, une fois, l'absence de Dieu.

Elle ne cherchait pas Dieu, n'était pas tourmentée par son absence, préférait ne pas croire, ses propres terreurs lui servant de divinité.

Elle ne tenait pas en place. Sa chambre était un lieu essentiellement nocturne. Le reste du temps, elle le passait à l'université, dans la rue, des cafés, des lits inconnus, les avions et les trains. Je suis tenté de voir dans ce mouvement perpétuel la preuve qu'elle était abandonnée de Dieu. D'autres diront, plus simplement, qu'elle l'avait trouvé, ou qu'elle avait la bougeotte, corollaire de la logorrhée, ou de l'angoisse.

Elle avait à New York un amant, un homme âgé qui l'hébergeait chez lui, dans un immeuble et un appartement semblables à ceux où Polanski a tourné *Rosemary's Baby*.

« J'y entends des voix : non pas celles d'une messe noire ni d'enfants morts; celles d'un jeune couple qui fait l'amour dans l'appartement voisin. Le vieux mathématicien a vu que j'entendais; nous avons écouté pendant quelques instants, puis il m'a mis la main sur la cuisse. Je la lui ai caressée, cette main, surtout quand elle est descendue dans ma culotte dont elle a soulevé la partie élastique pour m'ouvrir les lèvres et introduire son doigt dans mon sexe. Je me suis donnée à lui, le jour de mon arrivée, alors que je ne m'étais pas encore lavée. C'était comme si les voix avaient franchi le mur. »

Elle ajoutait que le sexe était une manière de conjurer la terreur que lui inspirait l'avion et ce que les voyages lui réservaient en général de bizarre — cette fois-là le fait de s'être trompée d'heure, à l'aller, et de se retrouver en *surbooking* avec une femme enceinte, ce qui l'avait obligée à passer une nuit supplémentaire à New York, dans une chambre d'hôtel de l'aéroport, d'où elle n'était pas sortie et où elle avait lu *L'Attente l'oubli* de Blanchot, le seul livre qu'elle avait emporté, avec un livre de Bugeaud, *Immolations,* qu'elle ne parvenait pas à lire et qu'elle avait même oublié à Tampa, chez sa mère.

« *L'Attente l'oubli* : ça ne saurait relever du hasard ! »

Et elle riait comme on pleure : dans un violent retirement de soi.

(Je dois avouer qu'après m'avoir raconté cet épisode elle m'a pris dans sa bouche, où j'ai joui : j'ai eu l'impression d'être un vieillard terrassé par un jeune homme.)

Je me rends compte que jamais nous n'avons fait l'amour en nous oubliant, comme de vrais amants ; elle se donnait avec la retenue la plus grande, presque sans gestes, sans générosité, dirais-je si, une fois, alors que la fatigue, l'alcool, le fait de ne pas arriver à la posséder avec un préservatif m'avaient conduit au bord des larmes, elle n'avait murmuré : « Qu'avez-vous mon chéri ? Sebastian, qu'avez-vous ? » avec une telle ferveur que j'ai pu la prendre en riant d'entendre ces mots : mon chéri, qui, parce que je n'y croyais pas, ou qu'ils sonnaient dans sa bouche de façon quasi pornographique, m'avaient rendu toute ma vigueur.

Il est aussi juste de dire que, lorsqu'elle avait ses règles, elle refusait qu'on la touche, se sentant impure, sinon damnée, bien que je l'aie souvent assurée que ça ne me gênait pas, que le sang des femmes avait même pour moi quelque chose de séduisant : j'aime les traces qu'il laisse sur mon ventre, mes cuisses, sous mes ongles, et qu'il me donne envie de saigner à mon tour.

« Et le Danemark ?

— Je n'y retourne que pour voir mon père, qui ne se soucie d'ailleurs pas de moi.

— Pourquoi y aller, alors ?

— Ça me tient lieu d'expiation. »

Elle disait aussi qu'elle était plus chrétienne que moi, dans son agnosticisme : l'idée de pardonner à ceux qui l'avaient fait souffrir la hantait plus encore que le mal ou ses terreurs.

Elle soutenait qu'Aalborg était un des pires endroits du monde ; un couloir maritime. Pire que Butte, probablement, car sans le vide américain — l'excuse du vide.

« Aalborg n'est rien. Comme moi. Une ville où l'on oublie même de mourir. »

J'ai dit que je n'étais rien, moi aussi. Une sorte de défunt. Un absent. Mieux : un anonyme.

Elle a murmuré que je parlais comme Bugeaud ; que Bugeaud était un personnage envahissant ; un écrivain replié sur lui-même, trop sûr de lui, qui ne cherchait plus à se perdre vraiment, qui ne s'était peut-être jamais perdu. Une sorte d'autiste par lequel il était dangereux de se laisser posséder.

J'ai ri. Mon rire avait quelque chose d'aussi faux que ce que j'aurais pu répondre. À ce moment, mon visage avait quelque chose d'une brique fendillée.

Je suis parti.

Avec Rebecca, j'avais souvent l'impression de jouer un rôle pour lequel non seulement je n'étais pas fait, mais qui n'existait pas : il me semblait même être mort.

Un mort qui avait à peine été vivant.

Un mort évoquant sans voix l'enfant qui avait toujours été mort en lui.

Un mort amoureux d'une demi-vivante.

Elle disait que, pour écrire, il fallait n'être nulle part.

« Alors, vous auriez pu rester à Aalborg. Kierkegaard a bien vécu à Copenhague ; et vous imaginez Copenhague, au XIXe siècle...

— Oui. C'est toujours une ville provinciale. Il me fallait autre chose.

— Paris, donc.

— Paris, oui, bien que ce soit une solution de facilité. Il n'y a que des écrivains et des hommes d'affaires. Des petits-bourgeois agressifs, mesquins, incultes. Et des immigrés qui hantent les allées désolées de la langue française. Un jour, j'ai demandé à mon photographe de m'indiquer la ville de province la plus désespérante. Il m'a répondu que toutes les villes de province le sont. Il ne me prenait pas au sérieux. J'ai posé la question à un autre amant. »

Elle s'est tue. Elle ne ménageait aucun effet ; elle était soudain ailleurs, là où l'avait envoyée cet amant : l'étrange petite ville de Richelieu, en Touraine, dessinée pour le cardinal qui lui a donné son nom et qui voulait en faire un centre politique, à l'écart de Paris, le château constituant la tête et la cité le corps. De cet ensemble, après la démolition du château, acheté par un marchand de biens, nommé Boutron, dont le nom ne pouvait être que celui d'un démolisseur, aurait dit Bugeaud, il ne reste que la cité ; une cité idéale, bâtie selon un parfait rectangle de sept cents mètres sur cinq cents, ceinte de remparts et de douves aujourd'hui plantées d'arbres, traversée en son milieu d'une Grande Rue bordée de beaux hôtels particuliers, tous bâtis sur le même plan, deux autres rues la traversant en parallèle, et trois ou quatre en perpendiculaire, deux places carrées à chaque extrémité figurant les fibules de ce bijou architectural, l'ensemble parfaitement préservé mais à peu près vide, ou donnant cette impression, en ville comme dans l'immense parc dans lequel s'élevait jadis le château et où Rebecca passait des heures, quand elle ne restait pas dans sa chambre, à l'hôtel du Puits Doré, ce séjour automnal ayant duré toute une semaine, Rebecca s'obligeant à travailler à son récit toute la journée, ne sortant que deux fois par jour, avant le déjeuner, pour se promener dans le parc, et à la nuit tombée, après le dîner, dans les rues désertes, selon un trajet presque immuable, car une ville aussi parfaitement géométrique et petite n'autorisait pas de combinaisons innombrables ; et Rebecca avait fini par accomplir, en l'inversant un jour sur deux, le tour impeccable des remparts, heureuse de ne pas se trouver dans une ville littéraire, *La Rabouilleuse* de Balzac l'ayant dissuadée d'élire Issoudun, comme le lui avait suggéré l'amant, parce qu'elle voulait se tenir loin de toute littérature, raison pour laquelle elle avait aussi refusé d'aller à

Nevers, à cause de *Hiroshima mon amour*, à Saint-Malo à cause de Chateaubriand, à Vence, à cause de Gombrowicz, le vide de Richelieu lui rappelant néanmoins celui des romans provinciaux de Simenon, ceux qui se passent à Moulins, à La Rochelle, dans le Nord, la France étant un pays inévitablement littéraire, c'est-à-dire farci de littérature, où qu'on aille, même le coin le plus reculé, où l'on se rendrait en posant au hasard le doigt sur une carte, les yeux fermés, un soir d'ivresse, à la suite d'un pari qui reviendrait à défier le destin plutôt que se jeter sous un train.

« Et vous avez eu un amant, à Richelieu ?
— Non. Pas d'amant. Il me fallait rester seule. J'avais même décidé que si je ne parvenais pas à écrire, là, je renoncerais à la littérature, peut-être aux amants, et j'irais me pendre dans un grenier. J'ai donc écrit, à Richelieu, c'est-à-dire nulle part, comprenant qu'on écrit pour ne s'adresser à personne. À Aalborg, je me serais adressée à mon père, en danois. À Tampa, ç'aurait été, en anglais, à ma mère et à sa haine des hommes. À Richelieu, j'ai écrit en français : je n'étais plus personne. Je me souviens d'une marche sous la pluie, tard, à la nuit tombée. La parfaite géométrie de ces rues me rassurait, comme à New York. Cette cité idéale combattait mon désordre intérieur. Il s'était mis à pleuvoir. J'avais laissé mon parapluie à l'hôtel. Je pleurais. Mes larmes se confondaient avec la pluie ; il n'y avait personne pour me voir ; je n'étais plus rien ; je n'étais pas loin d'être heureuse. Un anonymat qu'il me fallait aimer — que j'aimais déjà. J'aurais pu, à la

longue, me trouver assez de joie pour mourir, ou être la proie de l'assassin de Richelieu — celui qui habite toute ville, c'est-à-dire l'homme qui se met à désirer une femme au-delà du raisonnable et fait de son désir une divinité païenne ; et je crois que, sous la pluie, trempée, les vêtements collés au corps, les seins aux pointes durcies par le froid, j'étais la victime idéale : je tremblais de peur autant que de l'espèce de joie qui nous prend quand nous laissons tomber notre robe et que nous ne pouvons revenir en arrière. Je me laissais posséder par la pluie d'octobre. J'étais écrivain : je me livrais à l'anonymat du désir et de la langue. Je cessais d'exister en tant que Rebecca Mortensen. »

Et moi, qui étais-je pour elle? Amant? Écrivain? Frère en désespoir? Elle me renvoyait à une autre forme d'anonymat : celui des hommes qui ne savent pas ce qu'ils veulent, ou qui ont perdu les proportions du désir. Je n'étais rien, mais autrement que Rebecca : amoureux d'elle, probablement, et tout aussi soucieux qu'elle d'être écrivain, redoutant néanmoins d'entrer avec elle dans une relation mimétique (enfants de divorcés, exil, rapport désespéré aux gens et au monde, terreur fascinée de la mort).

Nulle femme, pas même ma mère, ne m'a montré à ce point combien on peut être seul.

Pourtant, quand nous étions nus, sur son lit, et que je la pénétrais avant de jouir ou de débander assez vite (à cause, je le répète, du préservatif et du fait qu'elle ne m'embrassait pas vraiment), elle criait à voix basse :

« Mon amour, oui, mon amour ! »

Mots qui la ramenaient au rang de femme amoureuse ou prête à jouir mais qui sonnaient presque faux, tellement la joie de Rebecca était froide, inattendue, extérieure. Ils détonnaient, tout comme le « mon chéri » qui lui avait échappé, une fois (et qui avait fait de moi, je m'en rends compte, une sorte de frère tragique). Ils étaient sa vraie obscénité (le reste du temps, elle ne proférait rien de vulgaire — sauf quelques mots d'argot qu'elle croyait passés dans l'usage courant).

Quant à moi, je ne lui ai jamais rien dit de mes sentiments, pas le moindre mot, tout juste qu'elle avait un corps magnifique (ce qu'elle n'ignorait pas) : je ne m'en sentais pas le droit ou, plutôt, je me tenais, comme toujours, à la lisière de mes sentiments et de mes actes, rôdant autour de l'amour comme un loup bientôt retourné à la forêt.

J'étais le loup et le chasseur, cependant les mains et la gueule vides.

Pour un peu, j'aurais été l'assassin qu'elle semblait quelquefois appeler de ses vœux.

Une espèce de criminel — par manque d'amour.

Écrire, c'est tuer par amour (proposition injustifiable).

Sa vie : un désastre, disait-elle, sans doute influencée par Blanchot.

Un sacrifice, répondais-je.

Elle se donnait au premier venu ; se prostituer était un accomplissement rêvé, le don de soi une respiration ; ce qui ne l'empêchait pas d'étouffer à peu près partout, et avec presque tous sauf moi, chuchotait-elle, le chuchotis étant, après le murmure, l'expression suprême de sa tendresse et quelque chose de plus nu, encore, que son sexe.

Une nuit, poussée par l'angoisse, entièrement nue sous son duffle-coat, elle s'est rendue rue Thérèse où se trouve une boîte échangiste. On ne l'a pas laissée entrer : elle était seule et on la prenait pour une prostituée, ce qui l'a fait rire, et l'a dissuadée d'aller rue Saint-Denis, où elle aurait pourtant été traitée pour ce qu'elle voulait paraître : une pute, disait-elle, plutôt qu'une astrophysicienne manquée, mais incapable d'entrer dans cette forme de renoncement à soi, et dès lors rêvant de devenir serveuse dans un Burger King, à Tampa, Floride.

Elle considérait chaque homme avec la même patience ; celle-ci lui tenait lieu de bonté, peut-être d'amour, n'aimant personne, n'étant asservie, je le comprendrais trop tard, à nulle joie sexuelle, ses terreurs étant un collier d'or en fusion qui la privait de voix.

Et, comme tout amant, naïf et malheureux amant, je voulais être le dernier venu, c'est-à-dire le seul.

C'est dire combien j'étais seul.

J'étais son amant, malgré tout.

Un visiteur nocturne, le seul à monter chez Rebecca après avoir bu avec elle deux ou trois verres de vin au café de la rue de Vaugirard, puis dîné dans un petit restaurant japonais de la rue Gay-Lussac — un de ces innombrables restaurants chinois reconvertis dans la nourriture japonaise standard : des mets que je ne goûte guère, ayant horreur de ce qui est cru, si bien que j'ai fini par élire une gargote chinoise, dans la rue de l'Ancienne-Comédie : une salle toute en longueur, étroite, éclairée au néon, avec des chaises en matière plastique et, sur le mur du fond, un tableau vilainement argenté dont les incrustations lumineuses représentaient une jonque voguant au crépuscule entre de gros rochers noirs sur lesquels se dressaient des pins. La salle donnait sur une arrière-cour où s'ouvrait la réserve d'une pharmacie, et sans doute un passage que nous imaginions secret et conduisant au pire, Rebecca reprenant là un mot de Beckett dont elle aimait les livres, alors qu'ils m'ont toujours ennuyé, Beckett étant de ces écrivains dont je respecte l'œuvre sans pouvoir la lire.

Nous avions trouvé la perfection du glauque; mais la nourriture était excellente, préparée par une vieille Chinoise qui ne savait pas un mot de français, et servie avec rudesse par deux ou trois filles laides, muettes, efficaces.

C'est dans cette gargote (aucun mot français ne sonnait mieux : boui-boui eût été exagéré, restaurant aussi, et *fast-food* un de ces mots américains que nous réprouvions tous deux et qu'affectionnent les Français, avec une jubilation de colonisés singeant leurs maîtres) qu'un soir où nous en étions à notre deuxième bouteille de bordeaux, qu'une femme d'un certain âge était venue s'installer tout près de nous, alors que la salle était déserte, selon la loi de grégarité qui fait que les gens répugnent à dîner isolés dans un restaurant. Elle lisait un magazine de gauche et avait bien l'air d'une militante socialiste, dépourvue de maquillage, honnête, sèche, sourcilleuse, ennuyeuse, sans doute avare et surtout malheureuse, selon Rebecca qui a profité du séjour de la femme aux toilettes pour dérober dans son sac une enveloppe en papier kraft. Elle riait en silence. Jamais, même quand mes doigts la faisaient jouir, je n'avais vu ses yeux briller de cette façon. L'enveloppe était vide. Elle l'a replacée dans le sac. L'audace de Rebecca, d'ordinaire immobile jusque dans le moindre geste, m'épatait tout en me renvoyant au plus timoré de ma nature.

« Vous voyez : c'est ça, ma vie : une enveloppe vide ! »

Dans le même endroit, une autre fois, une femme était assise non loin de nous, devant un simple bol de soupe : une clocharde, ou une femme pauvre, et probablement malade, qui est allée aux toilettes, et s'y est attardée si longtemps que nous avons été pris non pas d'inquiétude mais du même dégoût, Rebecca décrétant qu'elle ne pouvait plus manger, et moi abandonnant un plat que j'avais presque fini, emportant la bouteille de vin, quittant tous deux la gargote avant que la femme pauvre réapparaisse dans une odeur pestilentielle, Rebecca murmurant, une fois dans la rue :

« Je l'envie, d'une certaine façon : elle au moins a des raisons de se plaindre... »

Je n'avais, moi, personne à envier, je n'envierais jamais personne, et crois que c'est ça être écrivain : n'envier personne, c'est-à-dire se condamner à être soi par défaut de ressemblance, tout en allant vers le grand anonymat.

La plupart du temps, je la raccompagnais jusqu'à sa porte, place Dauphine, et je montais, sachant qu'il se passerait toujours la même chose — le même rite qui lui ferait prononcer ces paroles : « Ma chambre est un vrai bordel », à quoi je répondrais que cette phrase pouvait avoir un tout autre sens, en français.

Elle me précédait toujours dans le haut escalier. Je lui disais immanquablement qu'elle avait des fesses splendides. Elle semblait insensible à ce genre de compliments, comme toutes les femmes qui s'en remettent non pas à leur beauté ni à leur *sex-appeal,* dont elles sont assurées, mais à la nuit, au vide, à ce que le don de soi a toujours de tragique.

À mi-chemin, elle s'arrêtait pour me regarder à la lueur de la lune ou, si la nuit était noire, de son téléphone mobile, éclairant le sien pour me montrer son sourire : on aurait dit un visage de noyée. Je n'osais pas la toucher, lui mettre la main entre les fesses, déchirer sa culotte, dégrafer son soutien-gorge pour offrir sa chair à la lune. Elle ne me touchait presque pas (et rarement, dans la rue, elle me prenait le bras). Une fois, la seule, elle s'est arrêtée entre deux étages. Il faisait chaud (c'était une de ces nuits où le printemps éclate avec excès, après un hiver doux, interminable, écœurant pour moi qui suis habitué aux rigoureux hivers du Montana). Rebecca était vêtue d'une robe claire, très courte, en maillage peu serré, sous laquelle elle portait d'ordinaires sous-vêtements bleus. Nous avions beaucoup bu. Elle s'est retournée vers moi, a ôté sa culotte d'un air grave, l'a placée dans l'échancrure de son corsage et a guidé ma main vers son sexe qui était trempé et sentait si fort, quand j'y ai posé ma bouche, que j'ai eu un instant de recul qu'elle n'a pas perçu. J'ai surmonté mon dégoût : un homme qui aime une femme ne s'arrête pas à ça — sauf que, dans ce cas, n'aimant pas vraiment Rebecca, ou l'aimant pour sa dimension tragique, c'est-à-dire l'admirant plus que je ne l'aimais, et plus ému par elle qu'excité, je me forçais à lécher ce sexe où régnait un mélange d'odeurs puissantes — celles de la mer du Nord et du peuple maori de sa mère, imaginais-je, en trouvant dans ces métaphores de quoi accepter le parfum de son sexe.

On ne refuse rien à une femme qui s'offre. Je le savais, à présent. À l'université de Missoula, je m'étais fait de mortelles ennemies en ne prenant pas ce qu'on m'offrait de cette façon, avec le seul souci de jouir sans être déflorées. Trop sensible aux odeurs. Trop sensible à bien des choses et incapable, la plupart du temps, de surmonter mes aversions, notamment celles qui ont trait au corps humain.

Une fois dans sa chambre, nous restions un instant debout, immobiles, en silence. Nous reprenions notre souffle. Rebecca installait un disque vinyle sur un vieil électrophone. La symphonie concertante de Mozart, une suite pour violoncelle de Bach ou bien cet album de Bob Dylan : *Blonde on Blonde*, dont je connaissais bien les chansons, malgré les récriminations de mon père contre ce Juif new-yorkais et ses semblables. Nous n'écoutions pourtant pas la musique. Nous parlions. Rebecca parlait, assise sur son lit, puis allongée, un verre à portée de main sur un petit tabouret de fer qui menaçait toujours de se renverser et à propos duquel elle disait que l'idée qu'il se renverse la tenait éveillée. Je finissais par m'asseoir près d'elle, une main sur sa cuisse, mon verre dans l'autre. L'ivresse et le désir luttaient en moi. Je n'y voyais clair que dans les articulations du langage, non en moi-même, ni en Rebecca. Je finissais par m'allonger. La main de Rebecca frôlait bientôt mon sexe avant de défaire les premiers boutons de ma chemise. Je me déshabillais. Rebecca ne bougeait plus. Mon sexe était bien dressé. Elle le caressait du bout des doigts : j'avais l'impression qu'elle y passait un scalpel. C'était délicieux et terrible. Puis on en arrivait au préservatif. Je mollissais. Je la pénétrais vite, croyant durer un peu. Je débandais. Je me retirais, quelquefois ayant joui, ou me finissant à la main, et me sentant d'autant plus coupable qu'elle ne m'aidait pas, ne me caressait pas, demeurait silencieuse.

Dans ses bons jours, Rebecca acceptait que je la fasse jouir avec le doigt. « C'est comme une esquisse », disait-elle. Ensuite elle me prenait dans sa bouche, où je durcissais et où elle me délivrait. Elle n'avalait pas mon sperme : elle le recrachait dans le sac de supermarché accroché à la porte de la cuisine et qui lui servait de poubelle. J'aimais la destination de ma semence, parmi les cheveux, les trognons de pomme, les pots de yaourt, le coton sale, les rognures d'ongles, les serviettes hygiéniques : elle ne méritait pas mieux.

Je n'étais qu'un crachat.

« C'est presque du Beckett ! » lui ai-je dit, une nuit.

Elle n'a rien répondu.

Mon plaisir avait été intense.

Son sein gauche, frôlant mes couilles, avait été aussi décisif que sa bouche.

Elle souriait avec l'air de se trouver ailleurs.

Elle était ailleurs, même quand on la pénétrait.

La prendre, c'était s'absenter en elle.

Elle mourait de la sorte.

Et plus que jamais je vivais de ne pas être en vie.

Une nuit de mai, j'ai joui sur son ventre : je l'avais pénétrée par-derrière, mais le préservatif avait glissé de ma verge, et j'avais dû me retirer. Elle s'est mise sur le dos. Je n'ai pas réussi à la prendre de nouveau : j'ai placé sa main sur mes couilles, et je me suis délivré entre ses seins, éclaboussant un peu sa joue, sa bouche, son cou. L'abondance de mon sperme me ravissait. L'idée de jouir sur elle comme dans un de ces films pornos dont j'étais naguère un grand consommateur m'avait ragaillardi. Je trouvais peut-être là un terrain d'élection, la vérité de notre relation. Rebecca m'a regardé sans aucune pitié, comme si elle avait vu un homme pleurer ou saigner sur elle et que l'indifférence était la seule chose qu'elle pouvait donner ; quant à moi, je mesurais quel abîme sépare les hommes et les femmes.

Elle ne prenait pas de contraceptif. Elle n'en voyait pas l'utilité, du moment qu'elle exigeait de ses amants qu'ils se protègent.

Elle n'en était pas moins tombée enceinte, une fois. Elle avait avorté.

« Enfanter me terrifie. Je serais une mère criminelle. »

Elle avait pourtant souffert de mettre fin à la vie qui était en elle.

Elle s'était, quoique athée, sentie une criminelle.

Elle ajoutait que toute fille, aujourd'hui, aura avorté au moins une fois, et que dès lors elle vivra plus ou moins en criminelle.

Un soir, à peine arrivée dans sa chambre, moi essoufflé par les escaliers, à cause de mon tabagisme, elle respirant à peine, elle s'est dévêtue en silence, a chaussé des souliers à talons hauts, placé sur sa tête un bibi à voilette noire, passé un collier de perles à son cou, posé ses mains sur les bras du fauteuil Voltaire, et m'a dit, me tendant ses fesses :

« Prenez-moi par-derrière. Je vous en supplie ! Oui, dans le cul... C'est comme ça que je vous sentirai le mieux. »

J'ai enfilé un préservatif et l'ai prise aussitôt, les mains sur ses hanches, la tête renversée, heureux d'être impeccablement dur en elle, et jouissant en l'écoutant chantonner quelque chose en danois, et me retirant d'elle pour la voir se retourner vers moi, les seins en avant et me souffler :

« Je suis une enfant, comprenez-vous, une enfant qu'on a perdue dans la forêt, une enfant que je ne cesse de tuer dans ma langue, dans mon sexe, dans mon cul. »

Cette enfant, elle la suscitait fréquemment.

À Aalborg, âgée de treize ans, elle se perdait dans le quartier du port, vêtue d'une courte jupe en jean et d'un tee-shirt moulant, seule, parmi les marins ivres, ou dans les avenues désertes, où les automobilistes ralentissaient à sa hauteur, ce ralentissement lui faisant battre le cœur plus que de raison.

« Qu'auriez-vous fait s'ils s'étaient arrêtés ? »

Mais ils ne s'arrêtaient pas ; ils avaient peur, moins de l'âge de Rebecca que de ce qu'ils découvraient dans son regard et qu'ils n'avaient vu chez aucune femme : ce qu'on refuse de voir dans les yeux d'une femme, après avoir joui : le vide, sa propre absence, la mort soudain plus proche que cette illusion de vie que le désir nous donne.

Elle traversait les jours comme une prairie brûlée, tout à la fois herbe et flamme, cherchant le feu qui tuerait les flammes et ne le trouvant que dans le don presque anonyme de soi.

Plus tard, on n'hésiterait plus à l'aborder.

« Dans le bus, par exemple. J'étais montée à la va-vite, en retard pour le cours que je suivais, à l'université. Un type m'avait vue monter, jupe courte, cuisses découvertes, poitrine remuant sous le chemisier blanc, chaussures noires, cheveux au vent : une proie, n'est-ce pas ? »

Oui, une proie repérée par l'homme qui suivait le bus en BMW, « l'une des voitures les plus vulgaires qui soient », selon Rebecca, et qui souriait à la jeune femme, laquelle le regardait sans détourner les yeux ni sourire.

« Il devinait pourtant que je souriais, que j'étais consentante, que je descendrais au premier signe qu'il me ferait. »

Elle est descendue, a attendu sur le trottoir que le conducteur trouve à se garer, vienne vers elle, l'emmène à l'hôtel, le Hvide Hus, semblable à un immeuble d'habitation, où elle s'est laissé faire, sans chercher à savoir le nom de l'homme ni ses fonctions, ni même avoir vraiment regardé son visage, uniquement à cause de la BMW, de son audace de mâle, ensuite de son sexe, gros et dur, de son *after-shave* trop épicé, aussi vulgaire que la BMW, de la petite croix égyptienne qui pendait à son cou et lui battait la joue pendant qu'il la baisait (pour reprendre le verbe qu'elle avait employé).

« Il me suffit d'avoir vu dans son regard que ce n'est pas un pervers. Ce sont, la plupart du temps, des sortes d'innocents, comme vous. »

Et elle riait, moins de me décréter innocent que de se savoir telle, elle, quoique infiniment coupable, aussi, surtout quand elle avait accepté l'argent que le type lui avait laissé sur la table de nuit, une demi-heure plus tard, parti sans un mot ni un regard, l'abandonnant dans cet hôtel où un portier l'avait prise pour une prostituée occasionnelle et lui avait même proposé un arrangement, si elle revenait régulièrement.

« C'était dangereux ! »

Je ne savais pas encore que ce genre de remarque ne fait que vous diminuer auprès d'une femme pour qui le sexe est un acte souverainement libre, le seul, peut-être.

J'ai continué à me perdre :

« Vous devriez faire attention. Les hommes sont dangereux. Des prédateurs. Des criminels, la plupart du temps.

— Oui. Et nous devons les dompter, même si ce domptage consiste à nous laisser dévorer.

— Vous jouez sur les mots !

— Vous êtes trop pessimiste, mon cher Sebastian. Vous ne croyez pas que la vie vaut la peine d'être vécue ; c'est pour ça que je vous aime... »

À présent j'étais las de cette rhétorique *artiste*. Jamais je n'avais abordé de femme, ni dans la rue ni ailleurs, et mon sexe n'avait rien de gros, ni de dur, du moins avec Rebecca. Je ne possédais pas de BMW. Je n'étais soudain plus rien, ne m'étant jamais cru grand-chose, sinon un homme se rêvant écrivain dans une langue d'emprunt : un imposteur.

Je me suis tourné vers l'ombre du lit, plus que jamais persuadé que les femmes et les hommes n'ont pas grand-chose à faire ensemble, que tout est un malentendu, l'amour me fuyant autant que la grâce littéraire.

J'en aurais presque pleuré. Je comprenais que, dans ces conditions, refusant d'être un amant parmi d'autres, je ne pouvais rien exiger de Rebecca, ni même rien lui demander. Et puis la prostitution me répugnait. J'y avais pourtant eu recours quelquefois, à Butte, afin de ne pas avoir l'air d'un homosexuel aux yeux de mes condisciples, les rites de passage étant plus difficiles à éviter en province que dans les grandes villes. Je voulais être sexuellement normal, puisque le fait d'écrire me condamnait, dans ce pays minier, à être une espèce de traître, sinon de tantouse, m'avait laissé entendre mon père.

Pour le moment, je ne faisais qu'échouer, avec Rebecca comme en littérature. Ce récit me sauvera-t-il, puisque Rebecca et moi nous sommes aimés hors langage, en fin de compte, sans nous être rien dit qui nous lie, hors scénario, donc, dans cette langue française où nous n'avions pas de saisons, hors du temps, si on veut, condamnés à mesurer ce qui sépare un être d'un autre, même quand ils s'attirent l'un l'autre et qu'ils ne sont assujettis par aucun langage ?

Malheureux l'homme sans amour, et damné celui qui est incapable d'aimer !

Je suis la cheminée froide où mon père et ma mère me font brûler.

Je suis ce qu'ils ne se seront jamais dit.

Une parole qui a brûlé sans flammes.

Le cuivre et le cancer.

Le silence du feu brûlant hors de lui-même.

Je dois dépasser ce que je tiens pour certain, sinon pour acquis, et qui, avec Rebecca, n'est que morale provisoire.

Ainsi, je n'avais pas compris que sa faculté d'abandon (ou de ne savoir pas refuser) touchait au sacré plus qu'au simple divertissement sexuel.

Une fatalité sexuelle qu'elle tentait de transformer en art ou en prière adressée à elle-même (et s'ignorant elle-même), à cette déesse morte : son enfance, et à l'absence de Dieu, la littérature n'étant dès lors qu'un pis-aller.

« Au fond, vous devriez vous conduire avec moi comme une prostituée », lui avais-je dit.

Elle avait souri avec une espèce de reconnaissance.

(Une injonction sacrale, aussi bien, disait Bugeaud, à qui je m'en étais ouvert, car j'en souffrais plus que je ne me l'avouais, et lui se montrait de plus en plus intéressé par Rebecca.)

Il y eut donc ce soir de printemps où, ayant soutenu sa thèse avec succès, Rebecca m'avait invité à dîner chez elle. Elle avait commandé sur Internet des bouteilles de bourgogne dont elle ignorait comment elles avaient été conservées. Elles étaient presque toutes gâtées ou trop vieilles, à l'exception d'un pommard et d'un chambolle-musigny qui accompagnaient du rôti de porc et une salade de pommes de terre, l'ensemble froid, parce qu'il faisait ce jour-là une chaleur que la nuit ne faisait pas baisser.

Nous avons dîné côte à côte, sur la table qui lui servait de bureau et dont elle avait ôté les livres, les papiers, l'ordinateur et tout ce qui ne pouvait que rendre impropre au travail ce meuble sur lequel elle travaillait d'ailleurs peu, lui préférant un petit guéridon de jardin que je n'avais pas encore remarqué, recouvert d'un grand drap gris.

« Pour le rôti de porc, c'est un dérisoire hommage au Danemark, premier producteur de porc en Europe, peut-être dans le monde ! Pour le vin, je me suis fait avoir, comme d'habitude. Ma vie est faite de ces déboires », murmurait-elle en s'inquiétant de ce qu'elle me servait.

J'ai levé mon verre à son succès.

Elle a baissé la tête en même temps que la voix :

« Bien entendu, mon cher Sebastian, je n'ai pas trouvé le bon sujet de thèse. Il va maintenant me falloir entrer dans l'enseignement supérieur français, et non dans la recherche, encore moins dans l'industrie. »

Je souriais. Je lui ai rétorqué qu'elle pourrait toujours s'exiler, mais j'aimais l'idée de l'échec plus que toute autre chose : c'est un sentiment plus exaltant que la gloire. Herman Melville en a fait le moteur de sa vie ; et quoi de plus admirable que l'œuvre de Melville ? Je me suis mis à rougir : le vin et la chaleur m'y aidaient. Et puis j'ai eu honte de ce genre de discours sur la supériorité de l'échec, de l'inaccomplissement, somme toute du néant. Je n'avais réussi, moi, qu'à obtenir un diplôme dans une université de médiocre importance. Il ne me servirait à rien, puisque je refusais de devenir professeur. Je barbotais dans la langue française en pensant que cela suffisait à faire de moi un écrivain.

« Nous nous ressemblons », ai-je fini par murmurer.

— Vous ne pouvez ressembler à ce que je suis : la somme de mes échecs ! »

Son rire était fort et un peu cassé, comme sa voix.

Pour le dessert, elle avait servi des fraises avec de la crème Chantilly en bombe.

« Vous n'en voulez pas ?

— Ce sont les femmes qui aiment la chantilly. Pas les hommes.

— C'est une vérité que, pour une fois, je suis prête à vous accorder. »

Plus elle riait, plus je me terrais dans le silence.

Nous avions trop bu. Elle a ouvert une troisième bouteille — un côte-de-beaune premier cru qui était passé et que j'ai recraché dans mon verre en songeant que c'était la façon dont elle recrachait mon sperme dans la poubelle. Je riais doucement.

Elle s'est levée, a pris ma main, l'a posée sur sa hanche. Je me suis mis debout. Elle avait un air soudain tragique, en tout cas lointain, presque stupide. Elle a fait passer sa robe par-dessus sa tête. Elle était harnachée d'un porte-jarretelles en soie crème, à liseré noir, et de bas couleur chair. Elle attendait. Je me suis déshabillé tant bien que mal, plus ivre qu'elle. À ce moment, il m'importait peu de la baiser ou non. Elle a ôté son string, s'est agenouillée, m'a caressé le sexe, l'a essuyé avec une lingette hygiénique, l'a pris dans sa bouche, les yeux levés vers moi.

« C'est ainsi que font les putes, n'est-ce pas ? » a-t-elle demandé, un peu plus tard, quand je me fus retiré d'entre ses lèvres.

Dans sa bouche, ce mot était un consentement à l'immémorial, à l'infamie, à la damnation.

Elle haletait.

J'ai hoché la tête en lui demandant si je pouvais lui caresser la poitrine, comme je l'avais fait à Butte, dans la caravane d'une Chinoise. Elle a dégrafé son soutien-gorge et m'a laissé faire.

Elle s'est allongée par terre, parmi les vêtements et des journaux, en me disant de venir. Elle m'avait mis elle-même un préservatif et me branlait énergiquement, et je bandais comme un chevreuil, pour parler comme Bugeaud qui affectionnait cette expression, laquelle me faisait souhaiter non plus d'être moi-même mais mué en chevreuil et bondir dans la forêt. Je cherchais les profondeurs humides et obscures de la forêt où je désirais mourir. Rebecca m'a fait venir en elle brutalement : elle aussi errait dans la forêt obscure, et espérait s'y perdre à jamais. Elle grognait, gémissait, pleurait, me disait qu'elle mouillait, m'appelait son amour, sans me toucher, sans m'embrasser ni bouger, si bien que j'ai pensé que, ce soir-là, elle ne jouait pas à la prostituée mais qu'elle se prostituait effectivement à moi, en échange de je ne sais quoi : ma capacité à l'écouter, peut-être, ou bien ma disponibilité, ou encore mon innocence. C'est une des rares fois où j'ai réussi à faire l'amour normalement avec elle, la faisant jouir, jouissant en elle, et tombant sur elle, épuisé. Cette jouissance avait néanmoins quelque chose de décevant. Rebecca s'est extraordinairement attendrie, semblable à toute femme qui a joui, lovée contre moi, une main sur mon ventre, une jambe sur les cuisses, son souffle dans mon cou. J'ai voulu lui dire que je l'aimais. Elle a posé la main sur ma bouche et s'est endormie quelques instants, un pli douloureux au front, la tête sur son oreiller gris. Ce sommeil était sans doute une preuve d'amour. Je l'ai laissée dormir, elle qui dormait comme on grignote et qui avait avec le sommeil des rapports si difficiles qu'elle ne le trouvait généralement qu'à l'aube, lorsque les démons s'éloignaient, et qu'il fallait se lever pour descendre dans le jour.

Je lui ai demandé de me raconter ses orgies, après bien des hésitations, comme on en arrive à la dent douloureuse dans le creux de laquelle il faut se loger tout entier, faute de la faire arracher.

Dans sa bouche, le mot orgie était aussi infamant et aussi délectable que le mot pute. Aussi solaire, également.

« Vous n'avez toujours pas lu Bataille ?

— Non. Je ne m'y résous pas. C'est un peu trop simple pour moi — trop évident, veux-je dire. Trop humain, peut-être... Blanchot me parle davantage, avec la solitude essentielle, le droit à la mort, l'espace littéraire. »

C'était le photographe qui l'emmenait à ces soirées, toujours au même endroit, rue Agrippa-d'Aubigné. Une étrange et courte rue, dans le quartier de l'Arsenal, bordée de beaux immeubles haussmanniens et de platanes qui l'assombrissent. On pourrait les croire inhabités. Les passants semblent toujours pressés de quitter la rue. Elle relie le boulevard Morland au quai Henri-IV, dans le nom duquel Rebecca voyait un signe, tout comme dans celui du véhément poète protestant d'Aubigné.

« Toujours le même rite. Presque un songe. Nous sommes chez un type très riche. Un homme d'affaires qui invite d'autres hommes d'affaires et des filles comme moi. Pas de prostituées. On dîne. Un dîner placé, à la fin duquel une ou deux filles, ivres, ou défoncées, se mettent à danser. »

Rebecca me souriait, et j'essayais de me convaincre qu'elle n'était pas comme la Samantha de Butte, la prostituée qui savait détourner les fureurs de mon père.

Elle poursuivait d'une voix monocorde.

Elle proférait une prière qui n'était que le récit d'une damnation.

« On ne couchait pas comme ça, par terre, sous la table ou dans le salon. On n'était même pas tenu de coucher. On dansait, et ceux qui le désiraient allaient dans des chambres.

— Vous y alliez ?

— Quelquefois. Je n'osais pas refuser. Je ne le sais pas. Aller dans ce genre de soirées et se refuser m'aurait paru plus infamant que de faire l'amour avec un de ces types, lesquels étaient d'ailleurs très courtois, et sentaient si j'étais disposée à baiser. »

J'aurais aimé répondre que le vice peut prendre le visage de la plus grande courtoisie : Rebecca ignorait le mot vice, comme la plupart des jeunes gens de cette génération, qui n'est pas tout à fait la mienne, tellement les dés du temps sont pipés, chaque individu voyant une génération en lui seul, moi-même séparé des autres par mes propres hantises et devenant peu à peu, sinon un écrivain, du moins l'écrivain dont je hante le corps et l'esprit : un homme qui se veut innocent dans un monde coupable, à tout le moins malade. Un coupable dans un monde qui a l'innocence de la matière, ou du désenchantement, aussi bien. Le vice n'existe plus dans le monde contemporain : il n'y a que des cas psychologiques ou sociaux, c'est-à-dire des exceptions justifiées au sein d'un irrésistible mouvement de tolérance.

Et moi, ne m'adonnais-je pas au vice ? N'étais-je pas vicieux, selon les critères de ma très catholique mère ? Il m'arrivait d'entrer dans des églises, Sainte-Geneviève-du-Mont, Saint-Séverin, Saint-Gervais, Saint-Julien-le-Pauvre, et même Notre-Dame ; je m'asseyais sur un banc, les mains sur mes genoux, incapable de prier, encore moins d'aller me confesser : trop de bruit, en moi, trop d'images, trop d'incertitudes. Et trop de vacarme autour de moi. Je demeurais assis. Peu à peu ces images et ce bruit s'éloignaient. Je parvenais à fixer un point de moi-même où je me sentais exister simplement, purement, comme la flamme d'un cierge. L'angoisse me quittait. Je fermais les yeux et m'efforçais de penser à ce qu'il peut y avoir de bon en moi. Je ne me trouvais rien de semblable. Je mesurais ma misère. C'était une manière de prier.

Quand nous ne nous voyions pas, Rebecca et moi, nous nous envoyions des cartes postales qui devaient, d'une façon ou d'une autre, représenter un bovin. J'avais sur elle cet avantage que Bugeaud me rapportait de ses séjours en Limousin beaucoup de cartes sur lesquelles figuraient des vaches. Les cartes de Rebecca étaient, de fait, plus rares, ses voyages lui fournissant rarement l'occasion de se trouver en contact avec la campagne, à l'exception d'un séminaire qui s'était tenu au Mont-Dore, et de séjours en Sologne : c'était une citadine — de ces êtres pour qui la campagne est un endroit aussi inhabitable que l'envers de l'amour.

« Vous trichez ! Je ne peux pas vous suivre dans le domaine des bovins... », disait-elle.

À défaut de bovins, nous étions convenus d'accepter les chevaux dans nos échanges.

Ce rite me plaisait autant qu'à elle.

Les rites sont de païennes ou d'enfantines façons de conjurer la mort. Et nous les observions, nous autres exilés, enfants malheureux, écrivains sans livres, avec une rigueur qui dépassait la politesse et la bienveillance que se doivent des amants : comme des êtres du paléolithique apposant des mains négatives au plus profond des grottes.

Carte postale de Hobart, en Tasmanie, où elle était allée après un congrès d'astrophysique à Sidney, pour être convaincue qu'il y avait pire qu'Aalborg ou Tampa, ou même Richelieu : « Dans l'avion, j'étais assise à côté d'un Noir à qui les turbulences ont fait peur. J'étais encore plus terrifiée que lui. Il m'a pris la main et l'a posée sur son sexe : un geste si naturel, j'ose le dire, que je l'ai branlé comme s'il était un enfant, alors qu'il avait au moins trente ans de plus que moi. Il a joui sans un bruit et s'est aussitôt endormi, puis m'a ignorée pour le reste du voyage. Je me suis endormie à mon tour. Je vous écris dans le sommeil de ma raison. Je vous embrasse. R. »

Sur deux cartes postale d'Alès, dans le Gard, où elle avait rejoint un amant : « J'étais seule dans un compartiment de ce vieux train nocturne, en compagnie d'un homme entre deux âges qui s'est rapproché de moi pour me dire combien je l'émeus. Je souris ; je lui touche la joue ; l'homme s'y trompe ; il prend peur, cherche des solutions dilatoires, propose un rendez-vous à Paris, la semaine suivante, invente qu'il sort des bras de sa maîtresse et n'est pas en état : je refuse, disant que c'est tout de suite ou rien. Il est au bord des larmes, ou de la fureur, et s'enfuit dans un autre compartiment. Vous voyez : je suis une sorte de sainte. Je vous embrasse. R. »

Une autre, encore, de Singapour : « Je voudrais être nue. Je dors debout pour avoir passé la nuit avec des inconnus rencontrés dans la rue et qui m'ont amenée à une soirée, dans un restaurant sinistre, où ils ont bu, fait venir des filles qu'ils n'ont pas plus touchées qu'ils n'ont rien exigé de moi, et sont repartis en me ramenant à l'hôtel au petit matin. Je regarde un arbre par la fenêtre de ma chambre : il a, dans le bleu du ciel, un vert qui me parle de l'hiver, de vous, de ma mort. Je vous embrasse. R. »

De New York : « Je suis au cœur de mes contradictions en vous disant que j'aimerais me retrouver ici avec vous, dans cette ville qui représente ce que vous détestez le plus au monde, et où je pense à ce que j'aime en vous plus nettement que jamais. Je vous embrasse. R. »

Une dernière, de Paris, après plusieurs semaines de silence : « Vous voyez : je suis celle qui manque à tout, y compris à elle-même, et vous manquant, peut-être. Je vous embrasse. R. »

Une carte de moi, maintenant, envoyée à une adresse erronée et revenue à la mienne — la formule de la poste m'apprenant ce bel adjectif, erroné, en quoi, retour et mot, j'ai voulu voir la preuve que Rebecca allait mourir, du moins pour moi, car je me supposais quasi mort pour elle, incertain si elle m'avait vraiment désiré, l'amant qu'on ne désire plus devenant ce corps mort errant sur la mer, dont parlent les marins : « Je ne pourrai vous voir, ce vendredi. Je me suis coupé la lèvre en me rasant ;

elle se rouvrirait au premier baiser, et vous me maudiriez, vous qui abhorrez la vue du sang. Je vous embrasse la main. S. »

Carte que j'ai renvoyée alors qu'elle n'avait plus d'objet, dans une enveloppe plus grande, par fidélité au geste initial. Rebecca l'a trouvée, des semaines plus tard, et m'a fait savoir, au dos d'une carte postale représentant un buffle, au Laos, que nous n'étions pas morts mais ajoutant cette étrange question qui me laisse si désarmé, aujourd'hui encore, et que je veux croire inspirée par Bugeaud, surtout à la lumière de ce qui se passerait quelques mois plus tard : « Dans quelle langue mourrons-nous, mon cher Sebastian ? Je vous embrasse. R. »

« Un jour, je me donnerai vraiment à vous. »

Elle ne m'a jamais rien dit de plus beau, de plus tendre, ce don dût-il rester une énigme, une promesse d'éternité amoureuse. Car elle avait fini par murmurer qu'elle m'aimait, que j'étais l'homme qu'elle aimait, sans rien pouvoir changer à sa vie, ni cesser de se donner à d'autres hommes, encore moins à ses démons, c'est-à-dire à elle-même.

Elle m'aimait, et je ne l'aimais pas (à moins que ce ne fût le contraire et que dans cette inversion il y eût la vérité de ce que je me résous, après coup, à appeler notre amour). Ai-je su voir la profondeur de cet amour avant qu'elle ne me dise, plus tard, trop tard, comme si sa voix venait d'une autre bouche, qu'elle m'aimerait toute sa vie, que je sois à Paris ou ailleurs, vivant ou mort?

Je ne lui ai jamais rien dit de semblable. Mon silence était celui d'un orvet. Elle n'attendait d'ailleurs rien, ni de moi ni de personne.

Entourée d'hommes, fréquentant quelques femmes *bizarres* (dont une Géorgienne exilée qui ne parlait que d'elle-même, ce qui plaçait Rebecca en position de confidente, c'est-à-dire devant l'impossible), elle était cependant extraordinairement seule, étant de ces êtres qui voient sans cesse de l'autre côté — ce qui se passe après, par-delà les apparences.

Et cela faisait peur, aux autres autant qu'à elle.

Moi seul, peut-être, je ne m'en effrayais pas. Sans doute arpentais-je depuis longtemps l'envers de l'amour.

D'où sa promesse de se donner à moi, un jour, quand cesseraient les contradictions, les terreurs, les signes maléfiques.

Autant dire jamais.

Je ne sais presque rien d'elle. Elle me manque sans me manquer. Je l'aime et ne l'aime pas, suis jaloux sans en souffrir vraiment, souffre sans raison véritable, l'oublie avant de réentendre sa voix silencieuse, là où se forment les phrases littéraires, les prières, les mots de la peur et du doute, avant la résurrection de la chair.

Je me suis mis à fréquenter une autre femme, une très jeune Française, Élodie, originaire du plateau de Mille-vaches, rencontrée rue Corneille. Une protégée de Bugeaud qui l'avait fait accueillir comme stagiaire, chez l'éditeur, et avec qui elle avait peut-être couché. Elle a l'air simple, toute blonde, claire et déliée comme les syllabes de son prénom — et comme elles un peu fade, presque trop liquide, trop *française* (quoique je ne sache pas très bien, en fin de compte, ce que cela signifie, sinon que je commence à me détacher de la France et de la langue française). Les femmes ne sont pas inno-centes, surtout dans les milieux aussi rongés par le nar-cissisme que l'édition et le journalisme. Élodie croit m'aimer parce que je suis écrivain ; c'est plutôt parce que je suis américain, en quelque sorte exotique. Elle n'est pourtant pas cynique. Je ne l'aime pas plus que Rebecca, qu'elle surpasse en beauté mais non en tragique amoureux : Élodie se donne comme une Américaine, avec hauteur, j'allais dire avec le regret de ne pas être un homme. En outre, dépourvue de tout sens du sacré : en cela bien de son temps. D'une certaine façon, je me crois voué à aimer sans être amoureux ni voir que cette façon d'aimer me condamne à être seul, c'est-à-dire un jouet du Démon.

J'aime en deçà de moi-même : des fantômes, des absentes.

Je ne suis peut-être jamais venu au monde.

Mort-né : errant dans les intervalles de l'amour.

Un non-né qui hèle de futures mortes, qui en appelle infiniment aux défuntes qu'elles seront.

Un enfant qui n'a cessé de s'abîmer dans l'adulte que les autres croient qu'il est devenu.

Un enfant qui est à soi-même un fort Laramie : enfermé dans ce qui n'est ni le dedans ni l'extérieur.

C'est pourquoi Rebecca me traitait d'autiste, et m'aimait surtout pour cela, elle qui disait que son vœu le plus cher était de disparaître dans son propre vagin.

De plus en plus souvent, je dîne avec Rebecca sans monter chez elle. Je la laisse à sa porte, devant le Pont-Neuf, quelquefois à la porte du restaurant où nous nous sommes retrouvés.

Elle ne proteste pas. Ne paraît pas en souffrir. Elle me regarde fixement. Elle sourit. Tend la main vers ma joue. N'y trace nulle balafre ; nulle caresse, non plus : un geste esquissé, imperceptible comme un pétale de cerisier tombant sur une table de verre.

J'aime l'idée de ne rien savoir d'elle, alors qu'Élodie, jalouse, a dressé autour de moi une muraille de récits, de confidences, de récriminations futures. Rebecca, elle, parle presque toujours d'elle de façon théorique, gardant le reste pour son psychanalyste, ses livres à venir, ou pour rien, sa propre histoire n'étant que l'écheveau de ses problèmes psychologiques, de ses terreurs, de ses échecs, de tout ce qui lui prouve qu'elle est menacée et qui la conduit à se moquer de soi pour mieux dire la vérité.

« Je ne suis pas généreuse. La vie ne m'en donne pas l'occasion. Pourtant, je ne ramasse jamais les pièces que je découvre par terre, dans la rue. Je les laisse aux pauvres. Et j'en aperçois de nombreuses. »

Sphynge sexuelle — mais quelle femme ne l'est, dans le sommeil des hommes plus que dans le mystère qu'ils prêtent aux femmes?

Rebecca plus mystérieuse qu'aucune autre, car nue jusque dans son sourire ou le plus insignifiant de ses gestes, lequel semble toujours appeler un déshabillement instantané (un mot qui en dit plus que le banal déshabillage).

Témoin cette page arrachée à un carnet lui appartenant et que je ne suis pas certain d'avoir remplie seul, un soir d'extrême ivresse où nous nous étions défiés d'esquisser notre autoportrait, et dont il reste ce semblant de dialogue — où nous nous sommes tutoyés pour l'unique fois :

Tes seins plus chauds que des galets dans l'âtre.

Tes yeux sur lesquels fientent les pigeons.

Tu es la source qui tarit dans ton sexe.

Les peignes d'écaille dans les cheveux : plus répugnants que des serviettes hygiéniques.

La neige tombe sur tes ongles, entre les branches nues, à la pointe de l'île Saint-Louis.

Toi : beauté sans énigme.

Et toi, ce défaut de mystère dans lequel règne l'ombre d'un puits.

Tue-moi, je t'en prie, dérobe-moi à l'impossible patience qui me tue sans me faire mourir...

Change-moi en cerf !

Et toi en corbeau !

On ne change que pour le pire, en regrettant de ne pas être un animal.

On ne change pas, sinon pour être désespérément toi.

Toi qui ne me laveras jamais les cheveux, ni les pieds, délivre-moi de moi, de mon corps, de ce regard où nul ne voit combien je suis seule, oui, délivre-moi de tout, mon amour...

L'été. Solitude. Paris désert. Je sors peu, crainte de devenir un touriste. Rebecca est en Floride, après être passée par Aalborg, puis par Londres où elle va de temps en temps, quoiqu'elle ne m'en ait jamais parlé, et où elle doit avoir un amant terrible et secret, à supposer qu'ils ne le soient pas tous, même moi qui commence à comprendre que l'amour est la forme sacrificielle du secret. Élodie, elle, a retrouvé sa famille sur ce plateau de Millevaches dont le nom me fait sourire, bien que Bugeaud m'ait assuré qu'il signifie les mille sources, d'après un vieux mot gaulois ou celtique : *batz*. Bugeaud, lui, passe l'été en Estonie, dans une île où il est plus isolé que sur sa terre natale, puisqu'il ne comprend pas la langue qu'il entend bruire autour de lui et qui ne se distingue guère du bruit des vagues et du vent dans les pins. Élodie se trouve donc parmi les sources et Rebecca au milieu de retraités américains aux dentiers éclatants, en bikini sur une plage où il suffit sans doute de l'aborder pour qu'elle consente à faire l'amour. Élodie m'écrit tous les jours par courrier électronique. Bugeaud m'envoie de temps en temps une lettre ou une carte postale. Il soigne ses lettres. Il pose à l'écrivain et pense à la postérité, même dans ses anecdotes : ne me dit-il pas avoir trouvé, dans un petit supermarché, à un prix dérisoire, les films de Tarkovski, sous-titrés en estonien, en lituanien et en letton, de sorte qu'il les regarde en se laissant porter par le seul mystère de la langue russe et l'immense musicalité des images ? Quel poseur ! Un écrivain peut-il compter sur la postérité, aujourd'hui où les langues littéraires se distinguent à peine du langage de tous les jours ou des rumeurs urbaines ?

De Rebecca, une carte de Londres, une d'Aalborg, une autre de New York. Aucune de Floride.

« La Floride n'existe pas ! » m'assure Bugeaud, dans une carte représentant un champ de croix celtiques sur l'île de Vormsi.

À Élodie j'écris que j'ai commencé un récit, et en français. Elle veut savoir de quoi il parle. Je lui dis que je suis superstitieux, que je préfère ne rien en dire. Elle a pris la mouche, est restée plusieurs jours silencieuse. Rien que de très normal. L'été est fait pour oublier ceux dont on se croit proche, voire ceux à qui on est réellement lié. C'est le moment où on se sépare de soi, du moins les êtres comme moi. Les autres, eux, se rejoignent, vivent ensemble, oublient qu'ils rêvent de se voir mourir les uns les autres.

Au milieu du mois d'août, j'avais atteint la perfection de la solitude.

Je n'étais pas retombé dans les amours solitaires, c'est-à-dire dans la contemplation active d'images pornographiques, et cela par fidélité à Rebecca qui devait pourtant être en train de faire l'amour avec un inconnu, dans une chambre de motel ou une caravane. Ma fidélité n'était donc pas une manière frileuse ou mesquine d'espérer m'attacher Rebecca. C'était à ce que pensait Rebecca que j'étais fidèle, elle qui détestait l'érotisme, la pornographie, le *Kamasoutra*, les discours sur le sexe. Elle voulait être elle-même, dans son évidence plus que dans son mystère, lesquels la terrifiaient également.

« Vivre, c'est aller vers sa propre clarté, fût-elle obscure », m'avait-elle écrit, en une phrase qui me décevait un peu, car trop littéraire en regard de ce qu'elle pouvait ramener de sa propre nuit.

Et puis, en tant que catholique, j'abhorre le *new age*, les hérésies, les laïcs, et je plains les athées.

J'aime l'idée de pureté jusque dans le moment où je fais jaillir ma semence, ainsi fidèle à l'image de Rebecca, et à elle seule, me délivrant en pensant à elle avec une précision hallucinatoire, ou, dans les moments de lassitude, grâce à un appareil qui me permettait de projeter, sur le mur de ma chambre, heureusement blanc, les diapositives que je lui avais volées ou qu'elle m'avait données, et sur lesquelles elle était nue, souriante, assise dans un fauteuil de velours bleu presque noir, comme sa toison, les seins tombant un peu, plus belle qu'en réalité, en un mot plus humaine, comme délivrée d'elle-même, la seule de ses photos où elle paraisse plus danoise qu'asiatique, je ne puis l'expliquer davantage.

J'entrais dans cette image debout, nu, le sexe à la main, je me délivrais en elle, qui était alors toute à moi.

Je trouvais là ce qu'aucune femme en chair et en os n'avait encore pu me donner, si tant est que les femmes nous donnent quoi que ce soit et que ce ne soit pas nous qui le leur dérobons.

Je sanglotais de bonheur.

Je l'avais peut-être perdue, me perdant avec elle, cette perte étant l'amour même.

J'étais plus nu que je ne le pensais.

Une sorte d'innocent.

Un idiot de notre temps.

Elle aimait passionnément *Twin Peaks*, la série télévisée de David Lynch, dont elle m'avait prêté le coffret pour l'été, et dont j'ai regardé un épisode chaque soir, en cherchant à comprendre quel miroir elle trouvait là, et croyant le trouver dans la brune fille d'un des protagonistes, qui comprend que son père a des intérêts dans un bordel, de l'autre côté du lac, au Canada, et qui, la fille, imagine de se donner à lui travestie en prostituée.

Peut-être aussi qu'elle était Laura Palmer, la blonde et solaire jeune fille assassinée, celle qui a fait de la perte de soi et de l'abjection un chemin vers l'innocence.

Ou bien aimait-elle surtout l'ennui de cette bourgade de province, au bord du lac, sa vie réglée, ses adolescents aussi criminels que ceux de Columbine, ses habitants qui s'abîment en eux-mêmes comme la chute d'eau au bord de laquelle est bâtie la petite ville.

« Non, ce n'est pas ça. C'est l'autre côté du lac, là où l'on va se damner », me dirait-elle plus tard.

Et c'était là ce qui me séparait d'elle : la damnation — ce qui faisait d'elle une artiste, alors que je restais, moi, une espèce d'innocent : celui qui ne se damnerait

175

pas, n'écrirait rien de vrai, ne traverserait pas le lac, n'aimerait jamais.

Elle était celle dont la robe tombe au cœur de la forêt profonde, où les hommes brament comme des cerfs, grognent comme des sangliers, tuent comme des enfants.

Quant à moi, qui me croyais innocent, j'étais coupable, infiniment coupable, et cependant moins à plaindre que Rebecca tordue à elle-même par l'angoisse et la malédiction dans la forêt mentale, et qui murmurait en gémissant que l'amour est une maladie sexuellement transmissible.

Au plus désolé de l'été, le 3 août, à Paris, par un jour de chaleur dans laquelle on ne sentait plus que la puanteur des crottes de chiens et la pisse des clochards, on a retrouvé, étranglée, une prostituée d'origine asiatique, rue de la Fontaine-au-Roi, dans un quartier où je n'ai jamais mis les pieds. J'avoue que j'ai eu la faiblesse, peut-être le désir de penser qu'il s'agissait de Rebecca. J'ai pleuré cette prostituée dont j'ignore le visage et le nom, et je suis allé allumer un cierge pour elle, dans Notre-Dame : elle le méritait, ce cierge dans la plus belle église de Paris. Je l'ai pleurée comme je ne l'aurais sans doute pas fait pour Rebecca, si j'avais appris qu'elle était morte dans un accident d'avion ou sous les mains d'un amant inconnu.

J'avais d'ailleurs fini par la considérer comme morte, étant moi-même si peu au monde, cet été-là, et rêvant de mourir davantage, fût-ce en devenant un assassin.

En septembre, retour de vacances, sans m'informer qu'elle était rentrée ni donner le moindre signe de vie, Rebecca est allée travailler en province — à Toulouse, où, quelques mois plus tard, elle m'a fait savoir par une carte représentant l'église des Jacobins, où se trouvent les restes de saint Thomas d'Aquin, qu'elle était exilée dans la patrie de Pierre de Fermat et que l'exil était décidément son mode d'existence, quoiqu'elle trouvât ce genre d'affirmation trop facile, ce qui se passait en elle la plaçant sur un tout autre chemin, à l'écart de tout, à commencer des hommes, à qui elle ne se donnait qu'en s'écartant d'elle-même à l'excès, jusqu'à n'être plus tout à fait humaine, tuant la femme en elle et peut-être cette forme d'humanité dégénérée qu'est l'adulte pour écouter la fillette qu'elle n'avait pas pu être vraiment et dont elle ne se souvenait pas.

Je ne l'avais pas revue et ne pensais pas la revoir.

Elle m'était soudain devenue étrangère, le resterait toute une année : je n'avais pas répondu à sa carte, sachant que mon silence était un consentement à l'injustifiable.

Peut-être aurais-je préféré qu'elle soit morte (les hommes de peu de prix, les faibles, les mélancoliques pensent souvent de la sorte aux femmes qui les dominent ou dont, incapables d'aimer vraiment, ils ne savent que faire).

Ne possédais-je pas, de toute façon, son image et son corps, en moi comme dans les diapositives et dans quelques photos, tant il est vrai que nous n'aimons que nous-mêmes et les images de nous, et les femmes que nous désirons et croyons aimer en dispersant notre semence devant leurs images, c'est-à-dire devant nous-mêmes, l'homme (le mâle) étant rarement capable d'aimer autre chose que soi?

Elle avait renoué avec un ancien amant, qui aura compté plus que d'autres, et avec le photographe, lequel ne s'était d'ailleurs jamais tout à fait éloigné — nul ne s'étant jamais éloigné, pas même moi, encore moins elle que je n'ai pas eu l'audace d'aller voir à Toulouse, sans l'en prévenir, et où, ayant contrevenu à la règle selon laquelle c'était toujours elle qui décidait d'un rendez-vous, elle m'aurait sans doute regardé sans ciller me jeter dans la Garonne plutôt que de me caresser la joue ou de me prendre par la main pour m'amener chez elle.

Je découvrais les vertus de l'intransigeance.

Élodie, elle, avait disparu avec éclat, comme toute jeune femme qui vise plus que l'amour, c'est-à-dire le mariage,

179

après avoir trouvé dans mes affaires les photos de Rebecca et compris que je ne serais jamais le fiancé américain mais un homme comme les autres : un chasseur.

Il ne me restait plus qu'à écrire.

J'écris — j'entre autrement dans l'image.

Je marche près de vous dans le demi-jour où vous croyez exister plus que moi, vous qui n'avez que l'épaisseur de la voix dans laquelle vous passez sans me voir et où vous vous oubliez.

Je suis ce que vous voudrez que je sois, comme Rebecca avec les hommes.

Je la suscite enfin, elle dont j'aurai aimé l'absence plus que tout, et qui m'a fait comprendre que l'amour n'est rien d'autre que le goût d'une absence démesurément préférée à toute autre.

TROISIÈME PARTIE

LE PAVILLON DE CHASSE

Ce que tu te dois à toi-même, c'est le vide qui t'ouvre le ventre aux dimensions du ciel.

Pascal BUGEAUD
Le Temps devenu amour

TROISIÈME PARTIE

LE PAVILLON DE CHASSE

a

Toute une année au désert de l'amour : l'année de Rebecca à Toulouse.

J'ai travaillé. J'ai connu d'étranges faims, les illusions de l'oubli, des demi-sommeils, des espoirs de petit rongeur inquiet, des nuits sans le tain des rêves, des aubes couleur de viscères. Je me levais en misant tout sur mon récit, auquel je m'étais mis sérieusement, comme on s'en remet au fait qu'il n'y a pas de mystère, ni de réponse aux questions qu'on pose à un être ou à son propos. On n'écrit bien que seul, dans le deuil des femmes, mères, amantes, sœurs de songe. Écrire, c'est entrer à jamais dans le défaut de femmes — dans un domaine dont les femmes ne s'approchent pas, sauf quelques-unes : Virginia Woolf, Sylvia Plath, Alejandra Pizarnik, Karin Boye, Danielle Collobert, et quelques jeunes mortes infiniment touchantes comme Emily Brontë, Thérèse de Lisieux, Katherine Mansfield, Edith Södergran, peut-être, un jour, Rebecca Mortensen. Il n'y a pourtant rien à attendre de la littérature, laquelle touche sans doute à sa fin, comme le suggère Bugeaud avec qui je m'étais lié davantage, cette année-là, et qui savait que je retournerais bientôt au Montana pour devenir un écrivain américain, plutôt que celui qu'il espérait arracher à l'Empire en en faisant un écrivain français. Sa naïveté m'étonnait quelquefois plus que son cynisme ou sa désillusion, mais il était sans doute plus retors ou plus désespéré qu'il ne le paraissait (et sa naïveté, avec le temps, semblait une forme de désespoir) : n'estimait-il pas qu'il devait à présent brûler ses vaisseaux pour être capable d'écrire une ligne dont il n'eût pas à rougir, et devenir enfin l'écrivain qu'il avait rêvé d'être, autrefois, dans son Limousin natal, comme je le ferai, m'assure-t-il, plus tard, dans le Montana, si c'est là-bas que je retourne ?

« Mais c'est peut-être au moment où l'on sent qu'on peut tout faire, y compris renoncer à la littérature, qu'il est possible d'écrire, donc d'en finir avec la littérature — de faire autre chose... », ajoutait-il.

Désespéré, je le suis, moi aussi, quoique autrement que Bugeaud. J'écris à présent pour me débarrasser de la langue française ; et je ne peux y arriver qu'en allant au bout de cette étrange entreprise. Je reviendrai bientôt à ma langue. Il me faut encore dire certaines choses au sujet de Rebecca. On ne peut être soi qu'en se reniant ou en décevant les autres : ça aussi, Rebecca me l'a fait comprendre.

b

Peu avant Noël, j'avais appris qu'elle revenait à Paris, de temps en temps, pour une conférence, un séminaire, un spectacle, un dégât des eaux, des clés à remettre à l'amie danoise à qui elle prêtait sa chambre, dans laquelle les objets s'étaient mis à disparaître (dont une petite vache bretonne en matière plastique que je lui avais offerte), tandis que d'autres y surgissaient de façon tout aussi inexplicable, comme un exemplaire très abîmé du livre de Bugeaud, *Un requiem français.*

Elle savait qu'on ne fuit pas, ne part pas, ne peut se dérober à rien, et pas plus à l'ennui qu'à l'amour ou à la mort.

Comme Rimbaud, elle redoutait par-dessus tout de s'ennuyer : sa vie était donc un perpétuel sacrifice, sachant qu'on n'échappe à soi qu'en s'en remettant au hasard, c'est-à-dire au pire, ou à l'incendie — à ce dans quoi nous sommes plus sûrs de disparaître que d'accéder à ce qu'on s'obstine à appeler le bonheur.

« Le provincial a beau fuir sa province, toutes les provinces, il la retrouve partout. Où que j'aille, je serai toujours d'Aalborg... », m'avait-elle dit, dans une autre carte, fin décembre, à l'occasion des fêtes, comptant peut-être sur un rite social pour se rappeler à moi, ou moi à elle, et revenir d'entre les morts. La carte montrait les anciens abattoirs de la ville, transformés en musée d'art contemporain. Rebecca ajoutait qu'elle ne pouvait plus supporter Toulouse, le vent d'autan, la chaleur, l'accent du Midi, l'hypocrisie et le laisser-aller des Méridionaux, à quoi elle préférait, somme toute, le côté direct et bon enfant des Américains, sinon la froideur scandinave, voire l'extrême provincialisme inculte des Néo-Zélandais.

Propos que je comprenais mal, n'ayant aucun don pour la psychologie des peuples, et qui faisaient dire à Bugeaud, à qui je les avais rapportés, que Rebecca devenait une vraie Parisienne, ce qui était le prélude à la condition d'écrivain.

« On n'écrit pas dans un grenier de province. On s'y masturbe, on y rêve et puis, si on ne se suicide pas, on monte à Paris pour s'abandonner aux ménades qui mettront en pièces la mère qui veille en vous. »

Propos (ceux de Bugeaud) que je ne comprenais pas davantage et qui m'agaçaient, comme tout ce qui relève d'un savoir allusif, codé, ironique. Je viens d'un territoire trop vaste pour ne pas m'attacher à des certitudes simples, et non au cynisme qui consiste à feindre d'aimer le contraire de ce qu'on ressent : j'aime ma mère, par exemple, et aussi Butte, où je suis né, avec son centre aux rues disposées perpendiculairement et portant des noms de métaux ou de pierres, or, argent, porphyre, fer, granit, acier, platine, aluminium, diamant, galène, mercure, le reste de la ville se perdant dans la nature, de sorte que nous n'avons le choix qu'entre la matière première et la sauvagerie naturelle — ce qui plaisait à Bugeaud, lui qui avait vu le jour dans cette bourgade, Siom, dont les rues n'avaient pas de nom, et qui aurait volontiers résidé rue du Granit, du Porphyre ou du Diamant.

(Il existe à Butte une avenue Girard, où habitait un de mes camarades, Jeffrey, un des rares garçons qui ne se soit pas moqué quand on a su que je suivrais des études littéraires. Je l'enviais de vivre dans une rue au nom français, alors que nous habitions alors, nous, rue de l'Or, cruelle ironie du sort, vu la modestie de nos moyens d'existence. Jeffrey s'est noyé dans une gravière, à dix-huit ans, une nuit de beuverie, juste avant son départ pour l'université.)

Je repartirai bientôt, je le sais maintenant. Malgré sa carte de Noël, Rebecca s'était bel et bien éloignée, si tant est qu'elle ait jamais été proche, notion qui, pour l'astrophysicienne qu'elle est (et qu'elle sera de plus en plus si elle ne se remet pas à écrire), n'a qu'une valeur relative. Et puis je ne peux abandonner davantage ma mère, même si celle-ci, contre toute attente, a retrouvé, en témoignent plusieurs mails par semaine, une forme de joie, proche de l'humour, c'est-à-dire la part la plus vive de sa foi, comme chez Flannery O'Connor. Quelque chose s'achève, que je suis encore incapable de mesurer mais dont l'obscur mouvement en moi fait entendre sa rumeur. Je ne serai pas un écrivain français : j'écris ce récit ; je le mènerai à bien ; ensuite je me tairai dans cette langue, moi qui suis pourtant né dans un nom français, Butte, Montana, 1 742 mètres d'altitude. Je reprendrai de la hauteur. Je m'élèverai au-dessus de la langue française que j'aurai sans doute mieux aimée que les Français, qui la négligent, commencent même à l'ignorer, tombent dans le puits où ils s'oublient, comme tous les peuples d'Europe. Je reviendrai à ma langue natale pour y vivre, aimer, mourir. Je dirai la vérité sur mon amour pour Rebecca. Je serai un écrivain américain, c'est-à-dire un homme sans nostalgie.

Rebecca et moi n'avions rien d'un couple. Rien ne m'aurait autant déplu que de former avec elle un de ces couples d'écrivains dont les magazines culturels tentent de nous persuader qu'ils sont dignes d'un culte : quoi de plus exaspérant que ces livres, ces films, ces légendes sur George Sand et Musset, Francis et Zelda Fitzgerald, Sartre et Beauvoir, Elsa Triolet et Aragon, Ted Hughes et Sylvia Plath ! Le mythe de l'écrivain en ses amours infernales : la fin de la littérature... On ne devrait rien savoir de la vie d'un écrivain ; elle n'est d'aucun enseignement. Le vrai destin de l'écrivain, faut-il le redire, est l'anonymat.

Voilà que, de nouveau, je parle comme Bugeaud — son style, lui, m'ayant rattrapé depuis longtemps. C'est aussi pour lui échapper que je vais quitter la France, la langue française et Rebecca, et cette vie parisienne, agréable et tranquille, si provinciale, en fin de compte — si agonique, même, avec ses écrivains semblables à Virgile mourant sur le navire qui le ramène à Brindisi, mais sans la lucidité qui lui dictait de brûler *L'Énéide*. C'est moi qui brûle, invisible comme une flamme en plein midi.

Il me faut partir, et au plus vite, si je ne veux pas devenir français, c'est-à-dire disparaître.

C

Rebecca réapparut à la fin de l'été. Elle qui détestait le téléphone, par crainte d'avoir à parler sur le répondeur où, généralement, elle bafouillait, elle avait dû pourtant s'y résoudre dans un message qu'elle avait prononcé d'une voix plutôt dure, lente, presque obscure : il contrastait avec ce qu'elle disait et aurait pu être prononcé par n'importe quelle « petite femme », comme l'écrivait Pavese, la veille de son suicide ; et, semblable à une petite femme cherchant à reconquérir un amant négligé, Rebecca murmurait qu'elle était là, à Paris, qu'elle souhaitait me revoir, qu'elle m'aimait, que j'étais le seul homme dont elle pouvait affirmer qu'elle l'aimait. Je lui avais répondu par SMS. Voici notre étrange et muet dialogue :

« Êtes-vous réincarnée ? »

« Réincarnée non. Probablement comme avant, en pire. Visible au risque du voyeur. Et vous ? »

« Un fantôme... Nous sommes voués, vous et moi, à être des fantômes l'un pour l'autre. »

« Retrouvailles obligatoires, alors, pour le jour de l'automne, mais ça fait loin. »

« La semaine prochaine, alors ? »
« Oui. Je vous embrasse, mon beau fantôme. »

Mais au jour dit se présenterait un problème majeur, pour elle, et qui l'empêcherait de me voir : ses règles, comme elle me l'a écrit, au dos d'une carte représentant un bœuf de Kobé, ajoutant qu'elle ne pouvait me revoir qu'avec la peur que le moment choisi ne soit pas parfait, le monde se divisant pour elle entre les femmes qui acceptent de faire l'amour pendant cette période et celles qui s'y refusent avec une fermeté toute religieuse.

Alors nous avons élu le vendredi suivant, le treizième jour du mois, ce dont elle s'est réjouie au dos d'une carte représentant le *Bœuf écorché* de Soutine : « Je n'avais pas remarqué que c'était le vendredi 13. Ce jour est fait pour nous, de la même façon que la Saint-Valentin serait faite pour les autres. Ce serait dommage de choisir un autre jour. Il n'y a personne d'autre que vous avec qui je partage aussi volontiers une malédiction. Je vous embrasse. R. »

Nous nous sommes retrouvés place Saint-Michel, un des pires endroits de Paris, selon elle, à cause de la foule de jeunes gens et de touristes qui y sévit et que l'eau de la fontaine semble exciter comme du bétail par temps d'orage. La fontaine sentait mauvais et la nuit était encore loin. C'est pourquoi, soucieuse d'être aimée dans la distance ou, mieux, la non-réciprocité, Rebecca avait tenu à se montrer déguisée. Sans doute souhaitait-elle aussi ne pas être aperçue par l'ancien amant qui avait repris possession d'elle, un astrophysicien chilien, très jaloux, qu'elle trompait bien sûr de temps à autre, et qui la trompait, probablement, m'a-t-elle dit en riant, après avoir surgi près de moi dans une robe écossaise, avec un chemisier et des socquettes blanches, de grosses lunettes à monture d'écaille, et une perruque auburn, bouclée, très laide, Rebecca méconnaissable, même quand, au restaurant, elle eut ôté perruque et lunettes : elle avait maigri, pendant son année toulousaine — ou plutôt son visage avait mûri en s'étrécissant, de sorte que la jeune fille un peu joufflue était devenue une jolie femme dont les terreurs et les hantises avaient creusé et révélé le vrai visage.

Sa beauté y trouvait une dimension presque inquiétante : celle des femmes immédiatement séduisantes, et non plus seulement dotées de *sex-appeal*.

Je ne l'avais reconnue qu'à sa voix, et à sa façon de se tenir soudain immobile, en regardant par en dessous, et de biais, assez semblable à un oiseau.

« Je ne suis pas en retard, n'est-ce pas ? m'a-t-elle dit, d'une voix qui avait elle aussi changé, plus grave, plus claire également.

— Avec vous, Rebecca, il a toujours été trop tard. »

Elle me regardait sans ciller. Il n'y avait rien à ajouter. Je ne comprenais pas pourquoi elle disait m'aimer, encore moins comment cet amour pouvait s'inscrire dans une vie si mouvementée et distante.

« L'amour se vit dans une extériorité souveraine », a-t-elle fini par dire, le visage tourné vers la rue, les mains posées sur les miennes.

Je n'avais rien à dire.

J'étais une espèce d'enfant.

Elle n'était pas une mère, pas même l'image, haïe autant que révérée ou nostalgique, de sa propre mère.

Elle aimait la jalousie du Chilien pour la raison qu'il lui donnait de le tromper, voire de le mépriser, donc de rester libre.

« La nuit tombe.

— Oui, j'en suis heureuse. »

Tout me semblait faux, ses propos comme ses poses et ses désirs. Il fallait que Rebecca ôte leur perruque à ses mots. J'ai failli le lui dire. C'était oublier son intelligence, la sûreté de son goût, son intransigeance, sa fantaisie — cette dernière chose m'étant la plus étrangère. Et si je suis monté chez Rebecca, cette nuit-là, c'était avec la certitude que j'en repartirais bientôt, que je retournerais en Amérique non pas comme on revient en arrière mais pour achever le mouvement qui m'avait conduit en France et dont Rebecca aura été, avec Bugeaud, la trame secrète.

Sa chambre n'était plus sa chambre ni Rebecca tout à fait la même. Le désordre avait à peu près disparu, la cuisine avait été refaite, modernisée, avec une douche dernier cri en lieu et place de la vieille baignoire sabot, la chambre repeinte, dotée d'un mobilier nouveau. On était passé d'une vieille chambre de bonne parisienne au design Ikea, c'est-à-dire au kitsch petit-bourgeois international, m'avait-elle expliqué, sans que je comprenne très bien ce qu'elle disait, étant donné que nous vivons, nous autres Américains, dans le kitsch et le mauvais goût, que nous ne percevons plus comme tels, le kitsch étant une forme d'innocence — du moins son

193

imitation, donc sa dégradation : autre forme de damnation. En outre, Rebecca semblait fidèle à l'amant retrouvé, certains jours lui étant réservés, dont le weekend, pendant lequel elle vivait en couple avec cet homme, le reste du temps chacun de son côté, ce qui constituait un bien étrange couple, Rebecca ne concevant la fidélité que dans les écarts amoureux, même si, pour le moment, elle essayait de s'accorder à une conception traditionnelle du couple.

J'étais ému de retrouver Rebecca, et je le lui ai dit, quoique peu porté à ce genre d'aveu. Peut-être n'avais-je parlé que pour dire quelque chose. Elle m'a répondu qu'elle m'aimait, d'une voix plus lointaine qu'au téléphone, sans que je puisse lui répondre quoi que ce soit d'approchant, ce qui me faisait soupçonner que l'amour réside souvent dans ce déséquilibre, du moins qu'il s'en nourrit, Rebecca me laissant entendre par là que son amour pour moi ne s'éteindrait jamais, qu'il vivrait indépendamment des autres histoires qu'elle connaîtrait, hors du temps, même, et pour le prouver prenant ma bouche entre ses lèvres et commençant à ouvrir ma chemise, en un geste qui faisait de moi une sorte d'amant nouveau, oui, comme si l'éternité du sentiment qu'elle me vouait ne tenait pas compte de mon existence charnelle et que je pouvais apparaître dans sa vie ou en disparaître avec une réalité d'amant toujours nouveau, laquelle m'affectait par cette impossibilité à saisir Rebecca autrement que hors du temps, c'est-à-dire dans le songe, le désir, le regret, l'absence, quels que soient les mots prononcés, et ce soir-là (celui de nos retrouvailles) moins que les autres, car je ne savais sur quel pied danser, debout dans la pénombre de la chambre où la nuit avait fini par tomber et où je demandais, un peu bêtement (mais un homme est-il rien d'autre qu'une bête devant une femme dotée d'un tel corps?), si ses seins étaient toujours aussi beaux.

« Voyez-le par vous-même ! » a-t-elle chuchoté, relevant en un geste vif son chemisier et son soutien-gorge.

J'ai soupesé ses seins splendides — ce qu'elle aimait vraiment d'elle-même, avec ses pieds et ses lèvres, qui étaient, je ne crois pas l'avoir dit, d'une belle épaisseur, laquelle pouvait pallier le défaut de langue, pensais-je en me laissant embrasser sans l'intention d'aller plus loin, en quelque sorte devenu fidèle à la jeune Libanaise que j'avais rencontrée, près de deux ans auparavant, et revue, rue d'Ulm, un dimanche où elle se rendait à l'église Notre-Dame-du-Liban. Je l'avais abordée sans hésiter, l'ayant reconnue à sa beauté comme à l'intelligence de sa démarche, si tant est qu'une démarche puisse être intelligente (Bugeaud affirmant néanmoins qu'il y a une bêtise des cheveux blonds et raides, ou de certaines façons de marcher, comme il y a des voix bêtes, des regards idiots, des syntaxes stupides). Elle était depuis peu ma maîtresse, après qu'elle eut rompu avec le Français dont elle partageait la vie et qu'elle trouvait décidément trop fade, prudent, insignifiant, même, comme tant de jeunes Français, et comme presque tous les hommes, disait-elle, sans que je comprenne en quoi je différais des autres, sinon par le peu de temps qui m'était accordé pour jouir de ses faveurs.

J'ai longuement regardé Rebecca, à qui je n'ai pas osé révéler que je partirais bientôt, après que Sahar serait rentrée au Liban, ayant soutenu avec succès la thèse qu'elle avait consacrée à l'œuvre de Bugeaud. Je regretterais particulièrement cette jeune brune aux seins de faon. La fiancée libanaise, selon Bugeaud. Elle m'oublierait, sans doute, pour repenser à moi, bien des années plus tard, dans la nuit, quelque chose lui rappelant soudain mon visage, mon corps, des mots, un parfum, un souffle, Sahar s'alanguissant dans la nuit beyrouthine, près d'un mari qu'elle n'aimerait plus, n'aurait peut-être jamais aimé, l'ayant épousé pour avoir des enfants, lesquels auraient déjà quitté la maison en même temps que les illusions, Sahar, vieillissante, portant sa main à son entrejambe et se caressant, ses gémissements ne pouvant couvrir les ronflements du mari dont le poitrail velu grisonnerait, tandis que Sahar se redonnerait à moi et que je songerais peut-être à elle, à ce moment, le hasard des pensées et des songes nous octroyant cette grâce, surtout à moi qui (c'était peut-être ça que la France m'avait permis de comprendre) savais que je ne serais jamais rien dans la vie d'aucune femme, sinon un hôte de passage, un cavalier intermédiaire, un lot de consolation, une sorte de frère, nullement un mari, encore moins un père.

Quelque chose était brisé. Les mots français mouraient sur mes lèvres. J'ai baisé doucement les seins et la bouche de Rebecca, puis je suis sorti à reculons, souriant en silence, heurtant le mur de l'étroit couloir où il était impossible de passer à deux, si bien que c'était un endroit dangereux, à cause du contact inévitable entre deux corps, s'ils venaient à s'y rencontrer, ai-je pensé en songeant que je n'y avais jamais croisé personne et que chacun, avant de sortir de chez soi ou d'emprunter le couloir, devait s'assurer que nul ne s'y était déjà engagé.

J'ai renoncé à aller chez Sahar, rue Crébillon. Il était encore tôt, et il serait toujours temps de la retrouver un peu plus tard. J'ai regagné ma chambre où j'ai envoyé à Rebecca un SMS dans lequel je lui disais que j'avais préféré rentrer pour jouir du frémissement de ses seins dans mes mains que j'avais passées sur mon visage et sur mon corps, apaisant ainsi le terrible désir que j'avais d'elle.

« Vous préférez le rêve à la réalité », a-t-elle répondu.

« Il n'y a pas de réalité ; il n'y a que des songes plus ou moins réalistes, qui nous renvoient toujours à nos illusions. »

J'étais à peu près persuadé de ce que j'avançais là, surtout après le troisième verre de Jim Beam. Je renonçais au vin. Je retrouvais le goût de l'alcool de grain. Il était temps de partir. Je m'en suis ouvert à Sahar, venue me rejoindre ce soir-là et en l'honneur de qui j'avais gardé ma semence et qui (Sahar) m'engageait à rentrer en Amérique, et plus tard à Bugeaud : il a haussé les épaules, marmonnant qu'on ne retrouve jamais vraiment ce qu'on a quitté, qu'on ne rentre pas plus qu'on ne part, ou qu'on ne vit ou ne meurt.

Rebecca, elle, s'est contentée de me rappeler son souhait de se donner vraiment à moi, une fois, sans condition.

Je lui ai envoyé, quelques jours plus tard, sans commentaire, cette strophe de Jules Laforgue, écrite par le poète à l'aube du 1er janvier 1886, dans la gare de Korsör, au Danemark (il mourra un an plus tard, à vingt-sept ans) :

> — *Un fin sourire (tel ce triangle d'oiseaux*
> *D'exil sur ce ciel gris) peut traverser mes heures ;*
> *Je dirai : passe, oh, va, ne fais pas de vieux os*
> *Par ici, mais vide au plus tôt cette demeure...*

À quoi elle a répondu ceci, sur du papier arraché à un cahier d'écolier :

« En tout cas, ne me parlez jamais de Hamlet, prince du Danemark ; ce serait trop facile ; je vous détesterais. Baisers. R. »

d

Je n'avais révélé à personne que j'avais acheté mon billet d'avion et donné mon congé à l'agence qui me louait ma chambre. Je paraissais ailleurs, aimable, un peu plus lourd : américain. Je ne parlais presque plus. Je souriais le plus possible. Je m'écartais. Je retrouvais mon innocence, c'est-à-dire le poids de toute faute — les miennes comme celles de mes proches. Je voyais en Sahar la fiancée du Cantique — celle que, comme Bugeaud, mais pour d'autres raisons, apprendrais-je plus tard, je n'aurai pas su laisser venir du Liban, accueillir, encore moins chanter, épouser, féconder. Devant elle, j'aimais être ivre (comme Rebecca, elle aimait bien les amants ivres, pour peu qu'ils ne soient pas vulgaires ni brutaux mais, plutôt, joyeux en même temps que pénétrés de la vanité de l'existence) ; je lui lisais alors des passages du livre que je n'écrirais peut-être jamais et dans lequel j'entendais évoquer tout ce qui se rapportait à Butte, sous la forme d'un abécédaire tout à la fois intime et extérieur : cuivre, or, argent, zinc, manganèse, engoulevents, micocouliers, symphorines des bois, ailantes glanduleux, gainiers florissant rose sur le vert des prairies, cerfs, coyotes, locustes, frênes, érables argentés, passereaux mangeurs d'abeilles, oies bleues, sapins du Canada, tours d'extraction, enfer de la fosse Berkeley, Anaconda Copper Mining Company, centre de dialyse, de traitement de la colonne vertébrale, saucisson Slim Jim, Miller High Life, Taco Bell, Moon Pie, Brothel Dumas, Burger King, Wendy's, Copper King Mansion, Finlen Hotel, Uptown Café, The Butte Weekly, trente-cinq mille habitants quasi invisibles, ma mère et mon père eux aussi fantomatiques, mon père de plus en plus raciste, malgré sa demi-Sioux, sinon à cause d'elle, et parlant maintenant l'anglais avec un accent indien, surtout après son retour de la prison de Deer Lodge où on l'avait envoyé pour un chèque en bois, au grand dam de ma mère dont je m'apercevais que je ne savais à peu près rien, sinon qu'elle avait été belle et qu'elle avait grandi en un de ces endroits du Montana qu'on aperçoit du train, la nuit, entre Spokane et Minot, et où on ne voit rien, sinon, au centre d'un corral vide, une femme qui se tient debout dans la lumière d'un projecteur, l'air aussi absente que le cheval qu'un homme va abattre, et comme je désirais que meure mon père, quand il me racontait ses promenades, enfant, avec son propre père, le long de la Milk River, ou sur la Sun River, à l'ouest de Great Falls, vêtu du blouson orange des Veterans of Foreign Wars, et qu'il me disait que je ne connaîtrais jamais la guerre, laquelle était pourtant une sacrée école pour un écrivain, phrase que j'avais répétée un jour à Bugeaud ; phrase qui nous avait rapprochés et qui aurait pu nous lier d'amitié, si Bugeaud avait eu des amis, disais-je à Sahar qui me regardait pour la dernière fois, son avion partant le lendemain, pleurant et me demandant de l'excuser d'être en larmes, de ressembler à une petite femme banale, alors que j'étais, moi, bien plus ivre qu'ému, ou ému d'être aussi ivre, et coupable de ne pas aimer Sahar comme elle l'aurait mérité, de ne pas la retenir, de ne pas vouloir la faire entrer dans le cercle de ma névrose, de mes peurs, de mon impossibilité de vivre, quoiqu'elle ne m'ait pas vraiment aimé, en fin de compte, moi qui n'étais qu'un agréable *boyfriend* et qui s'est mis à pleurer lui aussi en comprenant que l'amour est non pas une somme de souffrances mises en commun, comme je le soutenais avec complaisance, mais quelque chose dont il faut être digne — autant dire l'impossible.

e

Je dois en revenir à Bugeaud, maintenant, personnage bien moins intéressant que je ne le croyais, et sans doute pervers comme l'est tout orphelin devenu écrivain : un enfant somme toute gâté par les femmes et qui ne supportait que la compagnie de ces dernières, exclusivement, la raison pour laquelle nous nous fréquentions tenant sans doute au peu de goût que nous avions des hommes — je veux dire des mâles, dont nous avions, lui et moi, particulièrement eu à souffrir.

Il ne tenait plus en place. À peine rentré d'Estonie, il proposait une virée en province, dans ce haut Limousin où Sahar l'avait retrouvé, l'été précédent, et qu'il aurait aimé me montrer. Je n'avais pas envie d'y aller. Le mot « virée » détonnait dans sa bouche autant que son enthousiasme à me montrer sa terre natale : ses livres, dont j'avais lu les principaux, disaient ce qu'il en fallait savoir et j'étais, moi, tout disposé à le croire sur parole, l'écriture étant la dimension aveugle d'une confiance, comme je l'ai dit au téléphone à Rebecca — à qui j'annonçais que je partirais pour l'Amérique le lundi suivant.

« Alors nous ne nous reverrons plus — à moins que vous ne veniez à Nançay où je dois aller, dès ce weekend, pour travailler. »

Rebecca m'avait parlé de ses stages à la station de radioastronomie située non loin de Nançay, en Sologne, en pleine forêt, avec son immense panneau de fer incliné vers le ciel et ses trente-deux miroirs paraboliques répartis dans un paysage de bruyère, d'étangs, de pins et de bouleaux.

« Ça ressemble un peu au Montana, au moins pour la végétation, et en tout plat. Vous n'y seriez pas tout à fait dépaysé... », m'avait-elle assuré, me suggérant d'emmener Bugeaud, qui avait accepté sans hésiter ; il connaissait l'endroit pour avoir autrefois enseigné non loin de là, à Aubigny-sur-Nère.

« Nançay, c'est un peu *Le Grand Meaulnes* parmi les ondes électromagnétiques », avait-il dit, faisant allusion à un roman que, sur ses conseils, j'avais lu et trouvé un peu désuet, en tout cas exemplaire de ce qu'on peut écrire au sortir de l'enfance comme au crépuscule d'une civilisation, en une période où les songes de l'adolescence se brisent sur la mort des terroirs et de la paysannerie, et sur la guerre industrielle. Un roman auquel un Américain ne pouvait que rester sourd, la nostalgie de la nature et de l'enfance ne faisant pas partie de nos préoccupations, puisque nous restions des sortes d'enfants perdus dans des espaces naturels infinis, pérorait Bugeaud, non pas dans la bourgade de Nançay, où nous avions d'abord envisagé de trouver un hôtel, sur le conseil de Rebecca, mais devant un pavillon de chasse peu éloigné de la station de radioastronomie, à l'entrée d'un domaine où l'un de ses cousins, originaire de Meymac, en Limousin, grand amateur de chasse et ami du propriétaire, avait proposé de nous héberger.

Le soir tombait. Le pavillon de chasse, imposant et sombre entre de hauts sapins et des chênes centenaires, datait du xviiie siècle. Je songeais que je n'avais jamais dormi dans un bâtiment aussi ancien. Le français avait commencé à m'abandonner : je le vois dans ce que je suis en train d'écrire, qui est sans relief, armes abaissées, nerf affaibli, style banal comme du Maupassant, puisque je ne veux plus m'en remettre à celui de Bugeaud. J'écris donc dans une langue courante. J'irai cependant jusqu'au bout de ce récit, dussé-je, si je ne franchis pas ces marécages solognots, l'achever en anglais.

Nous étions rassemblés devant une porte aux chaînages de pierre claire. Nul ne pipait mot, écrirai-je pour éviter de dire que nul ne disait rien ou que tout le monde se taisait, aucune solution n'étant la bonne, et les personnages s'ennuyant dans mon langage comme ils avaient l'air de le faire, en cette fin d'après-midi, sous un ciel de septembre couvert. Le cousin rentrait de la chasse, ou plutôt du braconnage, ayant repéré, la veille, une biche qui venait boire dans un étang. Il l'avait tuée et il était en train de la dépecer, sous le regard indifférent de sa secrétaire, qui était aussi sa maîtresse, une brune agréable et souriante, d'une quarantaine d'années, prénommée Monique, comme la mère de saint Augustin, a dit Bugeaud, le cousin demandant à mi-voix à Monique si elle le savait, elle, qui était ce saint Augustin, et Bugeaud lui répondant :

« Un Père de l'Église. Le plus grand.

— Je n'aime pas saint Augustin ; il est implacable, a dit Rebecca.

— J'aime les penseurs qui ne me lâchent pas la main, a répondu Bugeaud.

— Tu ne serais pas un peu pédé, cher cousin ! »

Autant Monique était fine, délicate, silencieuse, autant le cousin, âgé d'une cinquantaine d'années, épais, jovial, rougeaud, intelligent et complexé, redoutait de se trouver devant des intellectuels et pour cette raison en faisait trop, notamment dans la dévalorisation de soi, vêtu d'une veste de treillis qu'il avait enfilée sur une marinière, ce qui lui donnait l'air d'un fusilier marin russe ou, sans la veste, d'un homosexuel, lui a lancé Bugeaud, les homosexuels arborant souvent des marinières, avait-il précisé ; de quoi le cousin avait fait mine de s'offusquer, plantant brusquement son gros couteau de chasse dans la porte et présentant à Bugeaud le cœur sanglant de la biche en lui demandant si lui, Bugeaud, pourrait lui apporter, comme ça, le cœur d'une femme. Bugeaud avait ri et donné une bourrade au cousin, puis posé ses lèvres sur le cœur de l'animal avant de le prendre dans ses mains, de le lever dans la lumière déclinante et de l'offrir à Rebecca qui demeurait là, immobile, le cœur dans une main, un verre de vin dans l'autre, tâchant de paraître brave, soudain très pâle, tout près de défaillir, de sorte que quelqu'un, Monique, je crois, dont on entendait la voix pour la première fois, a dit que Rebecca avait le cœur au bord des lèvres, ce qui nous a tous fait rire, Rebecca aussi, le cousin ajoutant que ce cœur sentait bien meilleur que les crottes du vieux sanglier qu'il avait reniflées, le matin même.

« J'aime lécher le cœur, le foie, les reins quand ils sont encore chauds. Rien de plus doux, sinon la nacre qui est entre vos jambes, mesdames ! »

Le cousin riait, parlait, buvait beaucoup, et il faisait boire les autres pour qu'ils se mettent à son niveau, avait-il dit à Bugeaud qui m'avait prévenu que le cousin chercherait à faire boire les Américains, c'est-à-dire moi, bien sûr, et un jeune astrophysicien amené par Rebecca, à mon grand dépit, si bien que j'ai été incapable de rien trouver à lui dire, une fois échangés les propos par lesquels deux compatriotes qui se rencontrent à l'étranger s'informent des régions dont ils sont originaires.

L'astrophysicien me fut bientôt aussi insupportable que Bugeaud dont la présence aux côtés de Rebecca me faisait souffrir, réveillant une ancienne jalousie qui me montrait que je n'aimais pas cet homme, que je ne l'avais jamais aimé et qu'en acceptant qu'il vienne à Nançay j'avais choisi de porter le couteau dans une plaie dont j'ignorais la profondeur et qui était celle du mystère de ce qui me liait à Rebecca : un mystère que je ne pouvais que profaner. Bugeaud me regardait comme s'il savait ce qui se passerait. Je haïssais cette façon de tout savoir : j'avais envie de me lever, de m'emparer du couteau de chasse, de le lui planter dans la gorge. Je regrettais d'être venu. Il me semblait que les choses ne pouvaient que mal se passer. Je suis allé visiter la bâtisse : elle comportait une cuisine, une salle de séjour et quatre ou cinq chambres, dont je me refusais à envisager comment elles seraient occupées, la nuit, à supposer que

Rebecca et Jimmy, l'astrophysicien, ne regagnent pas la station, ce qui, vu la façon dont Bugeaud regardait Rebecca, aurait été pour moi un moindre mal. Au fond, je préférais ne rien savoir. Je m'étais mis à boire. Je voulais une vie aussi brute que celle du cousin : oui, vivre sans états d'âme. À l'ouest, le ciel était à présent d'un beau rouge violacé. Des nuages noirs arrivaient dans le fond. Sans doute pleuvrait-il. Le cousin avait fini de dépecer la biche. Les deux femmes faisaient bouillir des pommes de terre. Bugeaud préparait une salade de roquette. Rebecca de la vinaigrette. Elle avait disposé du fromage sur un plateau. Jimmy avait apporté une tarte aux pommes et des biscuits de Nançay. Le cousin a fait cuire des morceaux de biche dans une poêle avec une noix de beurre salé et du vinaigre de framboise. Il avait bu beaucoup de bière. Il prétendait couper la tête de la biche afin de lui faire présider le dîner de ses yeux morts et pleins de larmes. Monique a crié qu'elle s'en irait.

« Et où tu veux aller, pauvre gourle ! » lui a lancé le cousin, en agitant sous son nez les clés de sa Land Rover. J'ai vu se mouiller les yeux de Monique qui a trouvé la force de se raisonner puis s'est mise à rire avec les autres. Elle ne me déplaisait pas ; elle avait quelque chose de Sahar dans sa finesse de petite brune intelligente, discrète, agréable, qui rêvait sans doute de divorcer pour épouser le cousin. Je rêvais, moi, que Sahar vieillisse comme elle. D'une certaine façon, elle me plaisait plus, quoique moins immédiatement, que Rebecca qui ne disait rien et dont la présence parmi nous semblait presque déplacée : c'était la première fois, et la dernière, que nous ne serions pas seuls, ensemble, elle et moi. Elle souriait, pourtant, et n'avait pas l'air de s'ennuyer : je comprenais qu'elle retrouvait là l'atmosphère de la rue Agrippa-d'Aubigné et de tant d'autres lieux où elle avait livré son corps à des inconnus. Jimmy a refusé de toucher à la biche, arguant qu'il était végétarien ; le cousin s'est penché vers moi pour me demander si les végétariens n'étaient pas des pédés. Il s'exprimait comme mon père, avec cette manie qu'ont certains hommes intelligents, ou dépourvus de vraie méchanceté, de s'avilir par le langage avant de le faire par leurs mœurs. J'ai mangé avec plaisir la part de Jimmy. Monique bavardait à voix basse avec Rebecca. Chacun buvait sans retenue, le cousin ayant apporté des magnums d'un saint-émilion qu'il avait eus à bon prix d'un négociant d'Ussel. La tiédeur de la nuit nous incitait à boire, et le brouillard qui se levait sur la bruyère du layon menant à l'étang proche nous faisait croire que nous étions hors du monde, et que tout était non pas permis mais l'objet d'un enchantement provisoire.

Assis entre les deux femmes, nous faisant face, Bugeaud parlait de la supériorité actuelle du cinéma sur le roman. Un point de vue provocateur, évidemment, ou qui faisait état de ce qu'il appelait le désenchantement littéraire et que je n'avais pas été loin de partager mais que je refusais maintenant d'admettre, car je ne pouvais parvenir à ce point de désillusion sans en avoir fait moi-même l'expérience, c'est-à-dire avoir écrit une œuvre, celle-ci fût-elle le signe d'un échec, avais-je dit à Rebecca que le dépeçage de la biche avait vivement impressionnée et qui m'avait donné raison en précisant que cela valait pour elle aussi et que c'était quelque chose comme ça qu'il fallait décrire : le dépeçage d'un bel animal tué au bord d'un étang pour être mangé par des humains dont la faim recouvrait un appétit d'une autre nature, sombre, archaïque, démesurée.

« Nous sommes venus ici pour dépecer une tout autre biche », ai-je murmuré en regagnant la salle de séjour où, dans un français maladroit qu'il a vite abandonné pour l'anglais que Monique traduisait à l'oreille du cousin, Jimmy soutenait que le cinéma n'a rien à voir avec le roman, parce que c'est un art populaire, une industrie.

Bugeaud a rétorqué qu'il n'était pas que ça ; que le roman devenait aussi une industrie ; qu'il y avait également des cinéastes, du cinéma d'auteur, comme il y avait encore des livres d'auteurs : des œuvres qui témoignent d'un parcours personnel, d'une quête spirituelle, d'une expérience intérieure. Jimmy ne comprenait pas. Bugeaud a évoqué les thèmes de Bergman, de Welles, de Kurosawa, de Bresson, de Tarkovski, de Fellini, de Mankiewicz, de Pialat — des noms à peu près inconnus de Jimmy pour qui, nous l'avons vite compris, la notion d'auteur, dans le domaine cinématographique, et peut-être dans le domaine artistique en général, était incompréhensible, le cinéma étant une tâche collective et vouée au seul divertissement.

Je sentais Bugeaud agacé en même temps qu'heureux de voir justifiée son opinion sur ce qu'il appelait l'œuvre de mort que les États-Unis exercent dans le monde par leur sous-culture. Il était sur le point de porter un coup douloureux à Jimmy dont il devait détester le prénom

en forme de diminutif, un des signes selon lui de l'infan-
tilisation du monde, l'ai-je entendu murmurer à l'oreille
de Rebecca. Pour un peu, il serait allé chercher le couteau de chasse qui était resté planté dans le montant de
la porte comme un élément totémique. Rebecca le
regardait attentivement et il se perdait dans ce regard
qui lui demandait, semblait-il, d'épargner le jeune astrophysicien, ce qu'il a fait, sans doute sensible au charme
de Rebecca — expression dont j'use à tort, car, plus que
du charme, Rebecca avait une présence, du moins une
énigmatique immédiateté, d'une sensualité opaque,
presque inquiétante, qu'elle savait pourtant rendre
accessible par une soudaine et innocente disposition des
mains, du buste ou de la tête, et qui faisait qu'on osait
l'aborder plus qu'aucune autre femme. Bugeaud y
paraissait sensible parce que, ignorant qu'il ne faut
jamais vanter les qualités d'une femme à un autre
homme, je lui avais longuement parlé de Rebecca et
que, flatté de l'attention que celle-ci lui portait mais la
croyant en main, les miennes ou celles de l'astrophysicien, il n'attendait rien d'elle, ne la désirant peut-être
pas, ce qui était une façon de laisser naître un tout autre
désir, attendant en outre, depuis le début de la soirée,
l'appel d'une très jeune amie qu'il irait chercher à Vier-
zon, comme Augustin Meaulnes les grands-parents de
son ami Seurel, au début de sa fabuleuse aventure. La
jeune amie avait raté son train, si bien qu'il aurait fallu
aller la chercher à Orléans, ce qui était bien trop loin
de Nançay : Bugeaud renonçait donc à la présence de
cette femme qu'il aimait, dépité, hésitant s'il ne rentre-
rait pas à Paris le soir même, peut-être jaloux, puis

repoussant cette idée, la nuit prenant dès lors pour lui, comme pour moi quand j'avais découvert que Rebecca n'était pas venue seule, une tournure inattendue, hasardeuse, difficile, Bugeaud se jetant dès lors dans la conversation avec une audace quasi désespérée.

« Il n'y a que deux femmes pour quatre hommes », a lancé le cousin avant de demander s'il devait téléphoner à la fille du garde-chasse, laquelle, assurait-il, n'avait pas froid aux yeux, et amènerait peut-être une copine.

« On n'est pas dans un récit de Maupassant, a dit Bugeaud.

— Ni dans *Le Grand Meaulnes*...

— Nous sommes dans l'intervalle, dans l'hésitation entre la vie et la mort. Un jour, peut-être, nous écrirons ce qui va se passer, si nous réussissons à passer cette nuit sans encombre. »

C'était Rebecca qui avait parlé et qui me faisait comprendre que j'avais trouvé la fin de mon récit, qui me l'offrait, même, y renonçant pour elle-même, à moins qu'elle ne se proposât d'en donner un jour sa propre version, si elle persévérait dans la voie de l'écriture, ses paroles imposant le silence à tous les convives, qui s'étaient mis à attendre le dessert comme une forme de délivrance.

f

Le cousin avait haussé les épaules. Il était sorti pour
pisser, avait-il déclaré, en réalité pour appeler la fille du
garde-chasse, comprendrions-nous, un peu plus tard, à
l'arrivée d'une femme, très jeune, jolie, plutôt réservée,
vêtue avec simplicité mais non sans goût, d'un jean
blanc, d'une chemise à carreaux et d'un pull jeté sur ses
épaules, tout le contraire de la fille de joie à quoi nous
avait fait songer le cousin, qui riait de notre étonne-
ment, la jeune femme, encore une jeune fille, étant sa
filleule, prétendait-il, ce que Bugeaud ne croyait nullement, sachant le cousin plutôt pervers, chasseur, buveur,
coureur, selon la « maudite triade du mâle occidental »,
dirait plus tard Rebecca, et la fille du garde-chasse, si
telle elle était, n'étant probablement que ce que l'on
appelait une fille facile, naguère encore, en un temps
où le sacré qui entoure la sexualité ne s'était pas mué en
pornographie générale ou en hygiénisme hédoniste,
soutenait Bugeaud, avec l'assentiment de Monique et
celui de l'astrophysicien, en fin de compte vertueux,
malgré son origine californienne, comme tant de mes
compatriotes, la liberté sexuelle, à présent bardée de

droits, ne pouvant que déboucher sur une nouvelle forme de puritanisme.

Rebecca se taisait. Je ne crois pas qu'elle désapprouvait les propos de Bugeaud : nul n'était plus tolérant qu'elle, en tout cas indifférent aux opinions d'autrui, et plutôt amusé par celles, si tranchées, excessives ou ironiques de Bugeaud qui regardait la nouvelle venue avec intérêt. Celle-ci ne s'était nommée que par son prénom, Laure, dont Bugeaud a loué la beauté, tout en refusant de baiser les joues qu'elle lui présentait et lui tendant donc la main, sous le prétexte qu'il n'aimait pas les familiarités (détestant en réalité ce qu'il appelait l'immédiateté, qui conduisait les gens à se tutoyer d'emblée ou, comme Laure, à embrasser les joues des inconnus que nous étions pour elle, à l'exception du cousin). Laure, comme la très pétrarquienne Laure de Noves, ancêtre du marquis de Sade, disait-il en ajoutant que sa forme anglaise ou espagnole n'était pas moins belle, et que *Laura* était le titre d'un beau film d'Otto Preminger dont il s'est mis à fredonner le motif musical, tandis que Jimmy en retrouvait quelques accords sur un vieux piano droit, presque désaccordé, au fond de la salle.

« Il n'est pas si mauvaise bête que ça, le petit Jimmy ! Il fait des tartes aux pommes et joue du piano ! » a lancé le cousin, que Bugeaud a sans doute empêché d'ajouter qu'il (Jimmy) était en fin de compte la jeune fille de la maison — ce qu'il était, d'une certaine façon, par la délicatesse de ses manières et son côté bon enfant ; de quoi me rassurer sur la nature de ses relations avec Rebecca tout en relançant mes craintes quant à ce qui pouvait lier Laure et Bugeaud qui était en train d'évoquer un de ses compatriotes limousins, Marc Fournol, un professeur tombé amoureux d'une de ses élèves, une jeune Argentine ou une Chilienne dont lui, Bugeaud, avait écrit l'histoire et qui se prénommait Laura, la fille du garde-chasse s'exclamant qu'elle aurait voulu s'appeler comme ça, Laura, Laure lui paraissant un peu fade, comme tant de prénoms français, ajoutait-elle à l'intention de Bugeaud qu'elle considérait avec hauteur, voire agacée, peu impressionnée par les écrivains et méprisant les hommes en général, qu'elle voyait, avec raison, peu différents des bêtes.

Les femmes s'étaient levées. Elles bavardaient à voix basse près d'une fenêtre, Rebecca et Monique ayant accueilli gentiment la nouvelle venue parmi elles, bien que celle-ci fût plus jolie qu'elles.

« Elles devraient normalement la mettre à mort : c'est si souvent le cas entre femmes ! » murmurait Bugeaud à mon oreille.

La mort rôdait, néanmoins ; on le sentait depuis le début de la soirée, bien qu'on devinât qu'elle ne visait pas les femmes : c'était aux hommes d'accepter que l'un d'eux doive mourir pour les autres, à cause des femmes, de la situation, de cet univers de chasseurs, de tout ce que l'alcool, la nuit, la forêt, le repas, le silence mettaient en jeu. Jimmy jouait au piano des slows qu'il tirait de ballades de jazz ou de musiques de films, comme le thème principal du film *Un été 42*, si mélancolique et qui m'avait fait rêver, adolescent, à la femme mûre qui m'initierait à l'amour et, plus tard, à l'amour d'adolescence que je n'avais pas connu, de sorte qu'aimer était devenu pour moi une manifestation supérieure de l'absence.

Les femmes revenaient à table pour le dessert. Le cousin a invité Monique à danser. Chacun redoutait ce qui se passerait une fois que nous aurions avalé la tarte aux pommes et bu du café et de l'alcool de poire avec des sablés de Nançay. Du moins m'en inquiétais-je, maintenant que nous étions trois femmes et quatre hommes : quoi qu'il dût se passer, il y avait quelqu'un de trop.

La conversation avait roulé sur la sexualité : il était question du risque amoureux, notamment physique, le cousin se vantant de n'avoir jamais enfilé un préservatif ni attrapé aucune maladie, Monique et Laure se taisant, Rebecca parlant de sa terreur des MST, tout en déclarant qu'elle ne prenait pas de contraceptifs, avouant avoir avorté une fois, propos qui, même dans un contexte aussi lourd et ambigu, semblaient choquer, quoique nul parmi nous n'eût d'enfant. Bugeaud évoquait non sans ironie la courtisane Aspasie de Milet qui évitait les grossesses en se mettant à genoux pour se laver après un rapport sexuel, et s'enduire le col de l'utérus d'un mélange d'huile d'alun, de cèdre, de miel, de cerise, de cire de myrte. Il ajoutait que, dans l'ancienne Égypte, on utilisait un mélange d'onguents fabriqué avec du miel et des excréments de crocodile, et, en Grèce, de l'encens, de la confiture de figues ou de grenades diluée dans de l'huile de mandragore, d'acacia et de safran.

Laure a éclaté de rire. Je m'étais trompé : il était manifeste que Bugeaud lui plaisait, du moins qu'il l'intéressait, ce qui ne me laissait plus pour rival que mon compatriote, Jimmy, le mot de rival ne convenant pas tout à fait puisque nous étions l'un et l'autre des amants de Rebecca, car je ne croyais pas qu'il était homosexuel ni que Bugeaud avait accepté de venir dans le pavillon de chasse pour autre chose que baiser Rebecca, comme aurait dit son cousin qui, tout chasseur étant aussi un joueur, sinon un jouisseur, avait appelé Laure pour mettre du piquant dans la sauce, rêvant sans doute d'une orgie. L'alcool m'ôtait mes certitudes. J'aurais aimé être seul avec Rebecca. J'aurais tout donné pour cela, au lieu de me retrouver à supputer quelle était la nature des relations unissant Rebecca et l'astrophysicien, lequel semblait manifestement de trop, vu sa médiocre connaissance du français et son attitude franchement positive.

Tout, dans cette partie de cartes, pouvait pourtant changer. Le cousin n'était venu pour rien d'autre, persuadé que Bugeaud, en tant qu'écrivain, était couvert de femmes, alors que c'était lui, le cousin, qui passait son temps dans la débauche, une fois sorti du bureau d'où il dirigeait une petite entreprise de salaisons, à Meymac, en haute Corrèze. Chacun se taisait, fermait les yeux, interrogeait son désir et le moyen de le satisfaire, ce même soir, l'imprévu étant la condition d'une satisfaction à laquelle je me dérobais, si elle n'avait pas lieu avec Rebecca dont je ne comprenais pas qu'elle ne voyait pas que se présentait l'occasion de tenir sa promesse de se donner, une fois, entièrement à moi.

J'oubliais qu'elle était une artiste, plus encore qu'un écrivain, et une artiste du sexe, c'est-à-dire imprévisible, et faisant loi de l'inattendu, voire de l'inacceptable, ou de l'injustifiable. Ne m'avait-elle pourtant pas appris à ne rien espérer et même, je le comprenais, ce soir-là, à désespérer, en vertu de cette règle qui veut que le bonheur amoureux ne nous arrive que dans la mesure où nous y avons renoncé, provisoirement ou à jamais, et que, dès lors, rien ne se passe comme nous l'espérions ?

g

Je ne me rappelle pas (nous étions à peu près ivres, las, repus, sans doute tristes, voués non plus à nous-mêmes ni à autrui mais à je ne sais quel dieu provisoire, une divinité locale, par exemple le dieu de la forêt où le cousin avait tué la biche que nous avions mangée et dont il avait enterré le cœur avec la carcasse au centre d'un triangle sablonneux formé d'un bouleau et de deux sapins), je ne me rappelle pas comment, contre toute attente, nous en sommes venus à parler de fautes que nous avions commises, ni même qui a lancé le sujet. Sans doute une femme. Monique, peut-être, ou bien Laure, oui, cette dernière, j'imagine, celle dont, à cause du cousin, nous avions complaisamment pensé qu'elle était une fille de joie, du moins une fille facile, et qui avait demandé à s'en aller, vu l'heure tardive, mais que le cousin ne consentait à laisser repartir que si elle nous racontait quelque chose qui nous tienne encore un peu éveillés.

« Une histoire ? Je n'en ai pas ! Non, pas d'histoire ! avait-elle dit en regardant non pas le cousin mais Bugeaud qu'elle semblait supplier de l'aider.

— Laissons-la partir..., a murmuré Bugeaud.

— Alors elle devra acquitter un droit de passage ! » lui a lancé le cousin, sans préciser à quoi il faisait allusion, meurtre ou don de soi, les deux, probablement, car le don de soi sans amour ni consentement véritable est une forme de meurtre, m'avait dit ma mère à laquelle je m'étais mis à penser doucement, tandis que Laure hochait la tête, consciente qu'elle ne s'en irait pas comme ça, même si elle savait qu'elle ne serait pas obligée de se donner à l'un des mâles, encore moins à l'une des femmes, ni de se prêter à aucune autre combinaison sexuelle.

C'est alors, je crois, qu'elle a proposé que chacun confesse quelque chose de fort, d'authentique — une faute, par exemple, quelque chose qu'il regrettait d'avoir commis et qu'il n'avait jamais avoué à personne.

« On n'échappera pas à Maupassant ! On se croirait dans *Les Contes de la bécasse*... », a dit Bugeaud en ricanant, sous l'œil furieux de Laure qui se trouvait ramenée à un ordre de choses, la littérature, dont elle ignorait à peu près tout, n'ayant pas fait d'études et détestant les gens qui faisaient étalage de leur culture, dirait-elle à l'intention de l'écrivain qui répondrait qu'il louait sa proposition de confession publique, pour peu qu'elle fût impudique.

Soudain la nuit a été là, et non seulement au-dehors mais aussi dans la pièce et dans les bouches, peut-être dans nos cœurs. La première à parler fut Monique, sans doute pressée d'en finir, et qui a confessé avoir autrefois détruit intentionnellement la plus belle robe de sa sœur qui, son aînée de cinq ans, se préparait pour aller à son premier bal tandis qu'elle, la petite sœur, n'avait pas le droit de sortir, réduite au silence des larmes, à l'humiliation d'être une enfant, le cœur dévoré par l'envie, la haine, la fureur.

« C'est un souvenir d'enfance. Ça ne compte pas, a dit Laure.

— Et que voulez-vous que je dise ? Je ne vois pas quel mal j'ai fait, sinon tromper mon mari, ce qui, par les temps qui courent, est presque un devoir ! En tout cas pas grand-chose en regard de la souffrance que j'ai infligée à ma sœur, ce jour-là, et plus encore à moi-même, qui l'adorais, cette sœur, et découvrais que l'amour ne se manifeste peut-être jamais mieux que dans la cruauté... »

Nous avons souri. Monique était pourtant au bord des larmes. Moi aussi, je l'avoue.

Le cousin, lui, a raconté que sa plus grande faute avait été de laisser agoniser longtemps, toute une nuit peut-être, un chevreuil qu'il avait blessé en braconnant et que l'arrivée d'un garde champêtre l'avait forcé d'abandonner dans une futaie.

« Bien du temps a passé, mais je me représente encore, certaines nuits, l'agonie de cette bête, et je ne peux plus m'endormir. »

L'astrophysicien a déclaré forfait, arguant que le méthodiste qu'il était ne pouvait se confesser de cette manière, que nous singions un rite sacré, que nous étions des impies, qu'il en avait assez vu et qu'il voulait rentrer à la station de radioastronomie.

Il s'est levé. Laure aussi.

« Will you come with me ? » a-t-il demandé à Rebecca. Celle-ci a secoué la tête en suggérant au jeune homme de dormir là, au pavillon de chasse, et puis, sur son refus, l'accompagnant à l'extérieur, vers la voiture qu'il disait avoir trop bu pour conduire correctement : quoique la station fût peu éloignée du pavillon, il redoutait d'être heurté par un cerf ou un sanglier.

« Je ne suis pas un pécheur ! avait-il lancé, en anglais, à Rebecca qui lui avait dit regretter qu'il ne se soit pas prêté au jeu.

— Ce n'est pas un jeu ! La culpabilité et l'innocence ne peuvent être considérées comme un jeu ! Il n'y a que ces foutus Français pour se moquer de tout ! »

Il tremblait d'une fureur qui avait ceci de bon qu'elle le tiendrait éveillé, s'il se décidait à partir, pensais-je en me rappelant la colère de mon père, quand il prenait son pick-up soûl et si furieux, après une dispute avec ma mère, qu'il conduisait mieux que s'il était à jeun.

Jimmy n'est pas parti. Il s'est promené dans la nuit en compagnie de Laure, puis il a regagné la salle de séjour tout en restant près de l'entrée afin de veiller sur Rebecca, d'après la loi qui fait de tout homme vertueux, même amoureux, une sorte de grand frère.

Monique et le cousin s'étant confessés, c'était au tour d'une femme, selon l'alternance qui s'était naturellement imposée.

Rebecca a pris la parole pour dire qu'adolescente, au Danemark, elle aimait se promener la nuit, dans le quartier riche d'Aalborg, et se dénuder le plus possible après avoir sonné aux portes, surtout quand elle avait affaire à des vieillards ou à des femmes laides, ou encore à de prétentieux jeunes hommes dont elle provoquait l'indignation.

Une confession modérément appréciée. Ce n'étaient là que des choses vénielles, selon le cousin qui, disait-il, en attendait davantage d'une fille comme elle et qui a applaudi quand Rebecca a déclaré qu'elle n'avait pas fini.

« Une fois, un des vieillards s'est tellement étranglé de colère à me voir à moitié nue, au bout de l'allée qui menait à sa porte, qu'il a eu une attaque : j'ai dû courir dans les rues, sans m'être rhabillée, bientôt rattrapée par une voiture de police et expliquer que le vieillard avait voulu me déshabiller, ce qu'on n'a cru qu'à moitié, la police comme mon père qui n'a su quoi répondre, aussi désarmé que le vieillard dont j'ai appris la mort, quelque temps plus tard. »

Rebecca souriait. Le cousin disait que c'était après tout une belle façon de mourir. Bugeaud la regardait avec un intérêt particulier, sans toutefois prendre la parole, qu'il laissait à Laure, laquelle a confessé une histoire de trahison amoureuse dont je n'ai pas suivi le détail, tant j'étais frappé par le récit de Rebecca, probablement inventé de toutes pièces, tout comme celui de Laure, l'une et l'autre pour complaire à Bugeaud qui s'est montré heureux de trouver dans la morale de ces fausses confessions la preuve que la meilleure façon d'être fidèle en amour est la trahison.

« C'est trop facile ! »

Jimmy avait crié cela depuis la porte, prêt à en découdre avec Bugeaud qu'il pensait disposé à lui ravir

Rebecca, ce qui faisait de moi une quantité négligeable et des autres les témoins de mon néant.

C'était pourtant à mon tour de parler. J'étais ivre. Je tenais pourtant assez bien l'alcool pour me lancer dans ce qui était moins une confession qu'un récit — celui de mes amours avec Rebecca, que je ne nommais pas, bien sûr, m'arrangeant pour qu'on ne la reconnaisse pas et devine que j'étais coupable de ne pas l'avoir aimée comme elle le méritait, sinon de ne pas l'avoir aimée du tout, ou de me mettre à l'aimer alors qu'il était trop tard et d'évoquer ce décalage comme la seule manière d'aimer, sinon d'être au monde, qui me soit donnée, laquelle fait de moi un être superflu, celui qu'on n'attend pas et qui survient dans le silence des passions.

Les femmes s'étaient mises à pleurer, sauf Rebecca qui me regardait plus gravement, encore, que d'habitude, comme si elle avait depuis longtemps compris et accepté ma façon d'être avec elle, voire de l'aimer. Jimmy s'était rapproché, avait posé la main sur son épaule. Je le sentais prêt à en découdre avec moi. Son autre main était tout près du couteau de chasse planté dans le chambranle. Il a de nouveau demandé à Rebecca de le suivre. Celle-ci s'est levée pour lui dire qu'elle avait une promesse à tenir, ce qu'elle ne pouvait faire que cette nuit-là.

« Quelle promesse ?
— Me donner à Sebastian.
— I don't understand ! »
— Don't you ? I must make love with him... »
Jimmy l'a giflée.

Bugeaud s'est levé en criant que Jimmy tenait enfin sa faute.

« Fuck off ! a lancé l'astrophysicien.

— Il nous fallait un coupable. Nous pourrions le tuer pour avoir ajouté à sa faute la vilenie de sa conduite, lançait Bugeaud à la cantonade.

— À mort ! s'écriait le cousin qui avait bondi sur le couteau de chasse et s'approchait avec une démarche d'ours de Jimmy que Bugeaud avait attrapé par les bras, les lui bloquant dans le dos.

— Vous êtes dingues ! »

Laure et Monique s'étaient levées. Elles nous suppliaient d'épargner le jeune homme. Seule Rebecca observait la scène avec un intérêt presque détaché, en souriant, comme s'il lui était indifférent que Jimmy subisse le même sort que la biche dont nous avions mangé le meilleur.

« Nous ne sommes pas fous, non. Nous n'avons jamais été aussi sérieux, disait le cousin en faisant étinceler le couteau sous les narines de Jimmy.

— Un sacrifice au dieu de la forêt ! » ajoutait Bugeaud en me demandant d'aller chercher la corde qui avait servi à pendre la biche.

Jimmy s'était mis à geindre.

« Assez ! »

C'était Laure qui avait crié. Elle nous a tous regardés, l'un après l'autre, puis elle nous a demandé de transformer le sacrifice en gage, quitte à se sacrifier, elle, en faveur du jeune homme, oui, à coucher avec lui ou avec qui le voudrait, si c'était le seul moyen de faire cesser cette bouffonnerie dangereuse.

Bugeaud et son cousin ont relâché l'astrophysicien qui pleurait silencieusement en regardant Rebecca, laquelle riait, elle, et d'un rire que je ne lui connaissais pas, si bon, si léger, qu'on aurait dit qu'elle allait se mettre à danser, et que Jimmy a fini par rire, lui aussi, et nous avec lui, toute la scène, quoique outrée, inadmissible, même, n'ayant été qu'une plaisanterie que nous cherchions à nous faire pardonner, le jeune astrophysicien déposant les armes pour dire à Rebecca qu'il comprenait, qu'il s'était conduit comme un imbécile, qu'il demandait la permission de s'en aller, sans un regard pour Laure qui souriait avec une bonté évidemment supérieure, la capacité des femmes à se dévouer sexuellement m'émerveillant, encore une fois, Laure et Rebecca assez semblables sur ce plan-là, Monique aussi, probablement, pour subir les assauts d'un sanglier tel que le cousin, à qui elle sacrifiait sa vie.

h

Restait Bugeaud. Il s'est assis pour se lancer dans sa confession. Il n'aimait guère parler en public, depuis quelques années, mais il n'était pas moins visible qu'il lui fallait parler, ce soir-là : il détestait l'inachevé, dans le domaine esthétique comme dans l'existence, trouvant même qu'il lui aurait porté malheur de ne pas raconter une de ses fautes. Il paraissait fatigué. Parler, dès lors, devenait un espoir de salut, en même temps qu'une façon de mettre une fin à la perturbation générale.

Je reconstitue son récit tel qu'il l'a prononcé, les yeux souvent attachés à moi, tout à la fois grave et ironique, sachant que je le transcrirais dans mon livre qu'il tâcherait de faire publier, une fois retouché par ses soins, à cause des maladresses syntaxiques et des imprécisions, dans la maison d'édition où il travaillait, une fois que j'aurais regagné les États-Unis et que, comme il disait, je serais de nouveau sur ma butte et qu'il pourrait presque, lui écrirais-je, se dire l'auteur de mon livre.

« À cette époque, disait-il, j'étais instituteur à Aubigny-sur-Nère, non loin d'ici, et j'enseignais comme on écrit :

avec l'espoir insensé de ceux qui s'en remettent à la parole, qui en attendent tout, c'est-à-dire le salut, si ce mot évoque encore quelque chose en vous, et même pour moi, qui l'emploie quelquefois avec une frivolité quasi impie. Je voulais être écrivain. Je revenais du Liban où j'avais tué des hommes comme mon cousin des cerfs, des lièvres, des sangliers, ou comme vous essayez, mesdames, de tuer en vous ce qui vous hante, remords ou espoirs. Je ne regrettais rien. J'étais un autre homme. J'aimais enseigner, j'aimais la vie de province, et je n'écrivais que pendant les vacances, doutant si je parviendrais un jour à mener à bien un roman et à être publié, songeant qu'il n'y avait peut-être rien de mieux que le frémissement de ma classe, une de ces peu nombreuses classes campagnardes où je me libérais enfin, après l'expérience de la guerre, de l'impression de n'être pas intelligent, voire d'être un imbécile, comme l'avait dit ma mère quand je lui avais annoncé mon intention d'entrer dans l'enseignement au plus bas degré de l'échelle, selon l'exemple de T. E. Lawrence devenu simple soldat de l'armée britannique après sa gloire arabique. C'était grotesque — trop influencé par Malraux. Je n'étais pas Lawrence, ni Malraux. Je n'étais rien, et je ne pouvais raconter à personne ce que j'avais vécu au Liban, nul ne s'en souciant, alors, la guerre n'intéressant personne, surtout pas mes jeunes élèves qui n'avaient d'yeux que pour Paris et pour le monde que leur proposait la télévision. Je leur dois pourtant beaucoup, à ces très jeunes gens, notamment d'être capable de parler en public et d'avoir aimé autre chose que les animaux dont je m'étais occupé, à Siom, mon village natal, dans le haut Limousin, lorsque je vivais au plus près de la terre, des bois, de femmes et d'hommes silencieux, de mes songes. La seule personne capable de m'entendre, à Aubigny, était un médecin : une femme d'une cinquantaine d'années au destin douloureux et qui devait bientôt mourir, suicidée ou assassinée, on ne l'a jamais su. Je ne vivais pas encore avec la femme avec qui je partagerais mon temps, dans cette Sologne où la vie était plus douce qu'en Limousin. Parmi mes élèves, une très jeune fille, Claudine, presque une enfant, encore. Je n'avais pas voulu voir qu'elle m'aimait. Oui, elle m'aimait d'un de ces terribles amours qu'une enfant peut porter à un professeur, et qu'elle manifestait par le parfait silence dans lequel elle m'écoutait, un petit sourire aux lèvres, les mains le plus souvent posées l'une sur l'autre, vêtue de façon sage et un peu vieillotte, comme on pouvait encore l'être, dans ces provinces reculées, à une époque où les marques américaines ou européennes n'avaient pas réduit les élèves à arborer leurs couleurs. Claudine portait souvent une jupe plissée et un chemisier à col pointu, des socquettes blanches, des souliers plats, ce qui lui valait quelquefois les moqueries de ses condisciples, pourtant peu cruels, en tout cas moins que moi, j'en viens à ma faute, le jour où j'ai trouvé dans mon casier une lettre anonyme contenant un poème d'amour, dont je ne pouvais douter de l'auteur ; un poème fade et aussi vieillot que les habits de Claudine dont j'ai bouleversé le beau visage en ayant la fatuité de lire ce texte à toute la classe et en priant l'auteur, s'il se trouvait parmi nous, de m'épargner sa poésie sentimentale et ses assiduités épistolaires, sans regarder

Claudine fondre en larmes et demander à aller aux toilettes, la classe riant sous cape et moi soudain près d'être
encore plus cruel avec Claudine, pris à mon piège, celui
de ma vanité, puisque flatté par l'amour d'une enfant
sans rien trouver de mieux que de tuer son amour en
l'humiliant publiquement, ce qui était pire que de tuer
un homme au combat, ai-je souvent songé par la suite,
car Claudine s'est absentée pendant plus d'un mois,
blessée, désespérée, malade, et moi en proie à un
remords que rien, jamais, ne pourrait apaiser, puisque
je m'étais comporté non comme un maître mais comme
un de ces enfants que j'étais censé éduquer, oui, que
j'étais devenu non pas l'un d'eux mais pire : inexcu-
sable. »

i

De ce qui s'est ensuite passé, dans le pavillon de chasse, et de la façon dont les uns et les autres se sont arrangés pour la nuit, je n'ai rien su ni rien cherché à savoir. J'avais trop bu : je suis allé vomir dehors. La nuit était claire, froide, pleine d'un épais brouillard qui montait des étangs et dans lequel on entendait se lamenter les animaux tombés sous les balles des hommes et les femmes qui ont souffert de l'amour, ai-je pensé. Rebecca a tenu sa promesse. Elle m'a essuyé le visage, m'a lavé même tout le corps non pas comme une prostituée ni une mère mais comme une femme qui s'occupe de son homme. Elle s'est donnée à moi sans exiger de protection ni m'empêcher de jouir en elle, le jeu en valant la chandelle, avait-elle murmuré, ce qui me faisait comprendre quelle artiste elle était, capable de se donner tout en risquant d'être enceinte au moment où elle savait que nous ne nous reverrions plus, sa vie étant soumise à ce genre de risque ou de défi, ai-je compris, au petit matin, à l'entrée du pavillon où elle attendait que Jimmy la ramène à la station de radioastronomie, et me disant que le ciel vers lequel on envoyait des ondes électromagnétiques recélait moins de mystère que le cœur humain, ou qu'il était le cœur humain fondu dans celui de Dieu, pour parler comme moi, et qu'elle m'aimait dans la mesure où elle savait qu'elle me perdait, oui, que c'était comme ça, murmurait-elle en regardant sur l'herbe des traces de vomi mêlées au sang de la biche, et m'écoutant dire que c'était un peu nous, ça, ce sang et ce vomi, et puis, avant de monter dans la voiture que conduisait mon compatriote, ajoutant que nous étions aussi le ciel, oui, cette immensité rose et bleu qui se faisait jour par-delà les pins et les bouleaux et me faisait désirer entendre enfin ce cri d'aigle que poussent ensemble les femmes et les hommes, quelquefois, ayant assez souffert pour l'entendre en moi comme je l'avais entendu dans la bouche de Rebecca, et peut-être le pousser à mon tour, dans la langue et au-delà d'elle, en mon âme et en mon corps, et au-delà d'eux, dans cet envers de la nuit qu'on appelle l'amour.

Œuvres de Richard Millet (suite).

Aux Éditions P.O.L.

L'INVENTION DU CORPS DE SAINT-MARC, 1983.

L'INNOCENCE, 1984.

SEPT PASSIONS SINGULIÈRES, 1985.

L'ANGÉLUS, 1988 (Folio n° 3506).

LA CHAMBRE D'IVOIRE, 1989 (Folio n° 3506).

LAURA MENDOZA, 1991.

ACCOMPAGNEMENT, 1991.

L'ÉCRIVAIN SIRIEIX, 1992 (Folio n° 3506).

LE CHANT DES ADOLESCENTES, 1993 (Folio n° 4766).

CŒUR BLANC, 1994 (Folio n° 4767).

LA GLOIRE DES PYTHRE, 1995 (Folio n° 3018).

L'AMOUR MENDIANT, 1995.

L'AMOUR DES TROIS SŒURS PIALE, 1997 (Folio n° 3199).

LAUVE LE PUR, 2000 (Folio n° 3588).

Aux Éditions de La Table Ronde

LE SENTIMENT DE LA LANGUE, I, II, III, 1993.

UN BALCON À BEYROUTH, 1994.

LE CAVALIER SIOMOIS, 2004.

FENÊTRE AU CRÉPUSCULE, conversations avec Chantal Lapeyre-Desmaison, 2004.

Aux Éditons Dar An Nahar, Beyrouth

L'ACCENT IMPUR, 2001.

Aux Éditions Champ Vallon

LE SENTIMENT DE LA LANGUE I & II, 1986 — 1990.

BEYROUTH, 1987.

Aux Éditions Fata Morgana

LE PLUS HAUT MIROIR, 1986.
CITÉ PERDUE, 1998.
LE DERNIER ÉCRIVAIN, 2005.
CORPS EN DESSOUS, 2008.
AUTRES JEUNES FILLES, nouvelle édition, 2009.
CINQ CHAMBRES D'ÉTÉ AU LIBAN, 2010.
ESTHÉTIQUE DE L'ARIDITÉ, 2012.

Aux Éditions François Janaud

AUTRES JEUNES FILLES, avec des dessins d'Ernest Pignon-Ernest, 1998.

Aux Éditions Fayard

POUR LA MUSIQUE CONTEMPORAINE, 2004.

Aux Éditions L'Archange minotaure

SACRIFICE, avec des photographies de Silvia Seova, 2006.
TOMBÉS AVEC LA NUIT, 2007.

Aux Éditions L'Orient des Livres

LETTRE AUX LIBANAIS SUR LA QUESTION DES LANGUES, 2013.

Aux Éditions Hermann

ARGUMENTS D'UN DÉSESPOIR CONTEMPORAIN, 2011.

Aux Éditions Pierre-Guillaume de Roux

FATIGUE DU SENS, 2011.
INTÉRIEUR AVEC DEUX FEMMES, 2012.
LANGUE FANTÔME, essai sur la paupérisation de la littérature, suivi de ÉLOGE LITTÉRAIRE D'ANDERS BREIVIK, 2012.
DE L'ANTIRACISME COMME TERREUR LITTÉRAIRE, 2012.
TROIS LÉGENDES, 2013.
L'ÊTRE-BŒUF, 2013.

Composition CMB Graphic
Achevé d'imprimer
sur Roto-Page
par l'Imprimerie Floch
à Mayenne, le 25 septembre 2013.
Dépôt légal : septembre 2013.
Numéro d'imprimeur : 85417.

ISBN 978-2-07-014148-7 / Imprimé en France.

252739